江 苏 省 计 算 机 学 会 立 项 资 助 项 目
江 苏 省 医 药 类 院 校 信 息 技 术 系 列 规 划 教 材
江 苏 省 卓 越 医 师 药 师 （ 工 程 师 ） 系 列 教 材

新编大学计算机 信息技术实践教程

（第 5 版）

主　编　金玉琴　翟双灿　印志鸿

主　审　周金海

副主编　白云璐　高治国　张幸华

　　　　王深造　陈晓红　桑路路

　　　　吴中杰

U0250106

南京大学出版社

内容提要

本书共 8 章,主要内容包括 Word 2016 基础应用、Excel 2016 基础应用、PowerPoint 2016 基础应用、Word 2016 高级应用、Excel 2016 高级应用、PowerPoint 2016 高级应用、Excel VBA 应用以及 Python 程序应用。书中提供了大量实用新颖的案例,所有 Office 案例基于 MS Office 2016 版本,Python 案例基于 Python3 编写。

本书编写参考《全国计算机等级考试一级计算机基础及 MS Office 应用考试大纲》和《全国计算机等级考试二级 Python 语言程序设计考试大纲》规定的有关要求,重点匹配了《全国计算机等级考试二级 MS Office 高级应用与设计考试大纲》的基本要求,特别适合作为高等医药院校非计算机相关专业的大学计算机信息技术课程的实验教材,也可作为非计算机相关专业学生计算机应用或 MS Office 初高级应用课程的教材,还可供医药行业成人教育进行计算机基础能力培训时使用。

图书在版编目(CIP)数据

新编大学计算机信息技术实践教程 : 第 5 版 / 金玉琴,翟双灿,印志鸿主编. --南京 : 南京大学出版社,2024.12. -- ISBN 978-7-305-28596-7

Ⅰ. TP3

中国国家版本馆 CIP 数据核字第 2024F6H551 号

出版发行　南京大学出版社
社　　址　南京市汉口路 22 号　　　邮　编　210093
书　　名　**新编大学计算机信息技术实践教程(第 5 版)**
　　　　　　XINBIAN DAXUE JISUANJI XINXI JISHU SHIJIAN JIAOCHENG (DI WU BAN)
主　　编　金玉琴　翟双灿　印志鸿
责任编辑　王秉华　　　　　　　　　编辑热线　025 - 83592655
照　　排　南京开卷文化传媒有限公司
印　　刷　扬州皓宇图文印刷有限公司
开　　本　787 mm×1092 mm　1/16　印张 17.75　字数 440 千
版　　次　2024 年 12 月第 5 版
印　　次　2024 年 12 月第 1 次印刷
ISBN　978 - 7 - 305 - 28596 - 7
定　　价　49.80 元

网　　址:http://www.njupco.com
官方微博:http://weibo.com/njupco
官方微信号:NJUyuexue
销售咨询热线:(025)83594756

前言 QIAN YAN

随着信息技术的飞速发展,Office 办公软件和 Python 编程语言的使用已成为现代大学生不可或缺的技能。Office 办公软件以其强大的功能和广泛的应用领域,已经成为办公领域处理日常工作的重要工具;而 Python 编程语言则以其简洁易学的语法和丰富的资源库,成为数据分析、人工智能等领域的热门选择。因此,掌握 Office 办公软件和 Python 程序设计,对于提升工作效率和拓宽职业发展空间具有重要意义。

本书是以教育部高等学校大学计算机课程教学指导委员会《新时代大学计算机基础课程教学基本要求》为依据,在中国中医药信息学会信息教育分会的指导下,结合医药类院校的实际教学情况组织编写的。全书参考《全国计算机等级考试一级计算机基础及 MS Office 应用考试大纲》和《全国计算机等级考试二级 Python 语言程序设计考试大纲》的有关要求,重点匹配了《全国计算机等级考试二级 MS Office 高级应用与设计考试大纲》的基本要求,在前一个版本的基础上进行了修订。

本书编写过程中充分考虑了 Office 办公软件和 Python 编程技术的最新发展动态和趋势,及时更新了相关内容。全书共分 8 章,包括 MS Office 三大软件 Word、Excel、PowerPoint 的基础和高级应用以及 Excel VBA 应用和 Python 程序应用。全书概念清晰,理论简明,知识新颖,案例实用,自成体系。为便于教学的开展,书中提供了大量实用新颖的案例,所有 Office 案例基于 MS Office 2016 版本,Python 案例基于 Python3 编写。在编写本书的过程中,我们力求做到深入浅出、循序渐进,让读者能够轻松上手、逐步深入。

通过本书的学习,读者能够深入了解 Office 办公软件的初、高级功能和操作技巧,以及 Python 编程应用的基本特点,进而将两者结合,实现更高效的工作和数据处理。本书由金玉琴、翟双灿、印志鸿主编,负责整体策划及统稿,白云璐、高治国、张幸华等任副主编。本套教材由周金海教授担任顾问并主审。

本书编写得到了各级领导及专家的大力支持和帮助,编写过程中也参阅了大量的书籍,包括网络资源,书后仅列出主要参考资料,在此一并表示感谢。由于时间仓促,加上编者水平所限,教材中难免有不当之处,敬请读者批评指正,编者邮箱 yuqin_jin@njucm.edu.cn。

编 者

目录 MU LU

第1章

Word 2016 基础应用

Word 2016 是 Microsoft 公司开发的 Office 2016 办公组件之一，也是目前最常用的文字编辑软件之一，是一款集文字处理、表格处理、图文排版和打印于一体的办公软件。利用 Word 2016 的文档格式设置工具，可轻松、高效地组织和编写具有专业水准的文档。

实验一　Word 基本操作

一、实验目的

1. 掌握 Word 2016 的创建、保存及打开等基本操作。
2. 掌握文本与段落的编辑。
3. 掌握简单的表格编辑与应用。
4. 掌握艺术字、图片的编辑。
5. 掌握简单的引用功能。

二、实验内容与步骤

1. Word 的启动

启动 Word 有多种方法，常用下列两种方法之一。

（1）在桌面通过双击"Microsoft Word 2016"程序的快捷方式启动，或是在"开始"菜单中单击"Microsoft Word 2016"启动 Word。

（2）通过双击某个 Word 文档启动 Word。系统首先会先启动 Word 程序，然后加载该 Word 文档。

2. Word 窗口的组成

Word 程序启动后会打开 Word 窗口,Word 2016 窗口由下面几部分组成,如图1.1所示。

图 1.1 Word 初始窗口

（1）标题栏

标题栏显示正在编辑的文档的文件名以及所使用的软件名。

（2）快速访问工具栏

快速访问工具栏是一个可自定义的工具栏,它包含一组独立于当前显示功能区上选项卡的命令。常用命令如"保存""撤销"等可以设置于此处,方便使用。用户也可以根据个人需要添加其他命令,单击右侧的"自定义快速访问工具栏"按钮,在弹出的下拉列表中选择要显示的命令;若列表中没有所需命令,可以选择下方的"其他命令"进行查找。

（3）功能选项卡

Word 2016 中,所有的操作和功能按照类别进行划分并以选项卡的形式显示。具体有"文件""开始""插入""布局""引用""邮件""审阅"和"视图"选项卡,单击选项卡名称可切换到该选项卡。在选定图片、表格或页眉页脚等特定对象编辑时,选项卡最右侧会出现针对该对象的功能选项卡。例如,图片对象会出现"图片工具/格式"选项卡,表格会出现"表格工具/设计(布局)"选项卡,表格工具选项卡如图1.2所示。

图 1.2 表格工具选项卡

（4）功能区

编辑时需要用到的功能命令位于功能区中,每个功能区根据功能的不同又分为若干个组,绝大多数的命令均可在功能区中找到对应的操作按钮或选项,部分高级选项和操作集成在按钮右侧的▼下拉菜单中,也可以通过功能组右下角的对话框启动器打开的对话框中实现。具体如图 1.3 所示。

图 1.3 功能区界面

对于功能区出现的所有命令,用户如果不清楚命令的具体含义,可以将鼠标悬停在命令按钮上一段时间,Office 会自动提示命令的名称与功能。

（5）文档编辑区

窗口中部白色大面积的区域为文档编辑区,用户输入和编辑的文本、表格、图形都在文档编辑区中进行,排版后的结果也在编辑区中显示。文档编辑区中,不断闪烁的竖线"|"是插入点光标,输入的文本将出现在该处。

（6）状态栏

状态栏显示当前编辑的文档窗口和插入点所在页的信息,以及某些操作的简明提示。

① 页面:显示插入点所在的页、节及"当前所在页码/当前文档总页数"的分数。

② 字数:统计文档的字数。单击可打开"字数统计"对话框。

③ 拼写和语法检查:单击可对文档进行校对。

④ 语言（国家/地区）:注明文本字符所属语言。

⑤ 插入:日常的编辑状态默认为"插入",单击可把状态更改为"改写"。改写与插入不同,属于覆盖操作,即将原有的内容替换成新编辑的内容。

（7）视图选项

状态栏右侧有 5 个视图按钮,可以切换文档的视图方式,分别为:页面视图、阅读版式视图、Web 版式视图、大纲视图和草稿。

（8）视图缩放

状态栏右侧有一组显示比例按钮和滑块,可改变编辑区域的显示比例。数字百分比为"缩放级别"（如 120%）,单击可打开"显示比例"对话框。

（9）浏览方式

Word 提供的浏览方式包括"前一页""下一页"和"选择浏览对象",其中可选择的对象有:按页浏览、按节浏览、按表格浏览、按图形浏览、按标题浏览、按编辑位置浏览、定位、查找等。

3. 文档的创建、打开与保存

（1）新建文档

创建一篇新的空白文档的方法有多种,可以根据需要来选择,常见的方式有以下三种:

① 启动 Word 后自动创建文档

Word 启动后会自动新建一个空白文档,并自动命名为"文档 1"。

② 创建空白文档

如果正在编辑文档或者已经启动 Word 程序,还需新建文档,可以单击"文件"选项卡,选择"新建"命令,在"可用模板"下双击"空白文档"。

③ 新建一个 Word 文档

可以在任意路径的文件夹的空白处单击鼠标右键选择新建一个"Microsoft Word 文档",完成之后,双击打开即为一个全新的空白文档。与前两种方式不同,该方式创建的文档已有文件名和文件类型,而前两种方式创建的空白文档则没有任何文件类型,文件名也是系统临时生成,在保存时需要用户重新编辑文件名与文件类型。

(2) 文档保存

保存文档时,一定要注意文档三要素,即保存的位置、文件名和文件类型。平时要注意养成良好的保存习惯,目前 Office 默认已经设置启用了自动恢复功能,但也应该在处理文件时经常主动保存该文件,避免因意外断电或其他问题而丢失数据。

① 直接保存文档

在"快速访问工具栏"上,单击"保存"按钮,或者按 Ctrl+S 键。直接保存文档会保持原有的文件名、文件格式和保存位置,以当前内容代替原来内容,并且当前编辑状态保持不变,可继续编辑文档。

② 另存为新文档

若要既保留原始的文档,同时又保存新编辑过后的文档,则可以通过"另存为"将当前编辑过的文档保存为一个新文件。

在要另存为新文件的文档中,单击"文件"选项卡,选择"另存为"命令,或是按下键盘"F12",显示"另存为"对话框,具体如图 1.4 所示。如果需要显示文件扩展名,可以在文件管理器中点击"工具"→"文件夹选项"→"查看",取消复选框"隐藏已知类型的文件名"即可。根据需求选择保存位置,或更改不同的文件名。在"保存类型"列表中,下拉选择保存文件的格式。

（a）隐藏文档扩展名的"另存为"对话框　　　　（b）显示文档扩展名的"另存为"对话框

图 1.4 "另存为"对话框

"另存为"时的注意事项:

A. Word 2016 默认保存的文档格式即"Word 文档",其文件扩展名为".docx",早期的 Word 97-2003 文档文件扩展名为".doc",因此也可以选择保存类型为"Word 97-2003 文档"。

B. 在隐藏文档扩展名的状态下,编辑文件名时无需再添加文档扩展名,当前系统只是隐藏了扩展名,而并非没有,因此有可能造成 Word 将扩展名也认为是文件名的一部分,从而导致命名失误。

C. 在使用①、②两种方式创建的空白文档内编辑后的第一次保存操作，同样也会弹出"另存为"对话框。

（3）打开文档

文档以文件形式存放后，使用时要重新打开。可以在"Windows 资源管理器"窗口中，双击要打开的 Word 文档；如果 Word 程序已经启动，单击"文件"选项卡，选择"打开"命令，在"打开"对话框中选取要打开的文档所在的文件夹、驱动器或其他位置，选中文档后单击"打开"按钮，或者直接双击文档文件名，即可把该文档装入编辑窗口。

如果要打开其他类型的文件，先单击"所有 Word 文档"框后面的▼，打开列表框，选择打开文件的类型，然后再打开文档。

4. 文档编辑操作

在编辑区内可以看到不断闪烁的竖线"|"，称之为插入点光标。它标记新对象的编辑位置，单击某位置，或使用方向键，可以改变插入点的位置。在进行文档编辑时，必须遵从的原则是：先选中，再操作。每次操作都是针对一个对象，例如文字、段落、页面、图片、表格、艺术字等均是用户的操作对象。因此，规范的操作是，先确认并选定好对象是谁，然后进行相应的操作。

（1）文本格式编辑

设置文本格式的方法有两种：一种是在光标处设置（即不选中任何文本），该设置只对光标之后输入的字符有效；二是先选定文本块，然后设置，该设置只对选中的文本块起作用，适用于已输入的文本。

① 设置字体

可以用下面三种方法设置字体格式：

A. 使用浮动工具栏设置

选定要更改的文本后，浮动工具栏会自动出现，并且呈现出半透明状态，如图 1.5-(a) 所示。将鼠标移到浮动工具栏上，工具栏便会正常显示，如图 1.5-(b) 所示。当选中文本并右击时，它还会随快捷菜单一起出现。然后，根据需要进行设置即可。

（a）半透明浮动工具栏　　　　　　　　（b）浮动工具栏正常显示

图 1.5　浮动工具栏

B. 使用"开始"选项卡中"字体"功能组进行设置

选定要更改的文本后，单击"开始"选项卡的"字体"功能组中的相应命令按钮。如图 1.6 所示，常用功能已标出。

C. 使用"字体"对话框设置

选定要更改的文本，方法一：单击"开始"选项卡的"字体"功能组右下角的对话框启动器按钮，或者 ；方法二：右键菜单中选择"字体"，均可弹出"字体"对话框，如图 1.7 所示。若需要清除文本的所有编辑格式，恢复至默认文本状态，单击"开始"选项卡上的"字体"组中的"清除格式"命令，将清除所选内容的所有格式。

图 1.6　字体功能组

图 1.7　字体对话框

② 文本高级编辑

A. 更改字符的间距(缩放比例)

字符间距和缩放比例是字体编辑的常见操作。字符间距调整的是任意两字符间的间隔距离,有标准、加宽和紧缩三种选择;缩放比例调整的是文本的水平拉伸效果。字符间距与缩放效果如图 1.8 所示。

文本　　　　　　　　　　文本　　　　　　　　　　文本

（a）字体原始效果　　　　　（b）字符间距加宽2磅　　　　　（c）字体缩放200%

图 1.8　字符间距与缩放效果

调整字符间距，首先选定要更改的文本，打开"字体"对话框，切换至"高级"选项卡，如图 1.9 所示。在"间距"下拉列表框中选择"加宽"或"紧缩"选项，然后在"磅值"微调框中指定所需的间距。如果要对大于特定磅值的字符调整字距，选中"为字体调整字间距"复选框，然后在"磅或更大"微调框中输入磅值。

调整字体缩放则在"缩放"下拉列表框中输入所需的百分比。

图 1.9 字体对话框"高级"选项卡

B. 首字下沉

首字下沉就是加大突出的首字符。虽然形式上看是针对首字符字体的编辑，但首字下沉是相对于段落出现的，而且实际效果相当于创建一个新的对象。因此，首字下沉的命令位于"插入"选项卡中的"文本"功能组中。

光标置于所需首字下沉段落中即可（无需置于段首或选中首字符），单击"首字下沉"按钮，即出现如图 1.10 所示效果。

图 1.10 首字下沉示意图

图 1.11 首字下沉选项卡

如果需要对首字下沉的细节再做详细设定,可以通过选择"首字下沉"选项打开首字下沉对话框,如图 1.11 所示。

若要取消首字下沉,只需在"首字下沉"列表中选择"无"选项即可。

C. 设置超链接

Word 中的超链接,可以链接到文件、网页、电子邮件地址。虽然也是针对文本的操作,但并不是调整文本的字体格式,而且本质是一种插入动作,因此超链接命令同样也是位于"插入"选项卡中。

选中要链接的文字内容,方法一:切换至"插入"选项卡,单击"链接"功能组中的"超链接"按钮;方法二:点击右键直接弹出"插入超链接"对话框。两种方法如图 1.12 所示。

(a)"插入"选项卡超链接命令按钮

(b)右链快捷菜单超链接命令

图 1.12 插入超链接

弹出超链接对话框具体如图 1.13 所示。链接对象可以是"现有文件或网页""本文档中的位置""新建文档"以及"电子邮件地址"。每一类对象在对话框右侧区域有各自不同的设置。例如,如果链接对象为"现有文件或网页",则可以选择"当前文件夹"中的文件对象,也可以是"浏览过的网页",再或者是"最近使用过的文件",甚至可以直接将文件路径或网址填入下方的地址栏中,完成之后单击"确认"即可。

（a）链接到"现有文件或网页"

（b）链接到"本文档中的位置"

（c）链接到"新建文档"

（d）链接到"电子邮件地址"

图 1.13　弹出超链接对话框

D. 文本查找和替换

在"开始"选项卡→"编辑"功能组中，单击"查找"按钮，弹出"导航"任务窗格，如图 1.14 所示。在"搜索文档"文本框内输入要查找的文本。

若要查找带有特定格式的文本，可点击"替换"命令，在弹出对话框中切换至"查找"选项卡，如图 1.15 所示。在查找内容输入框中输入查找文本，同时在下

图 1.14　"导航"任务窗格

方"格式"命令中设置字体格式信息等。若仅查找格式，则文本框保留空白，再单击"格式"按钮，选择要查找的格式。

图 1.15　查找和替换对话框-查找选项卡

图 1.16　查找和替换对话框-替换选项卡

文本替换操作可以实现对文本的批量替换和处理操作。在"开始"选项卡→"编辑"功能组中，单击"替换"按钮，弹出"查找和替换"对话框，切换至"替换"选项卡。在"查找内容"文本框中输入要搜索的文本，例如"电脑"。在"替换为"文本框中输入替换之后的文本，例如

"计算机"。对话框如图 1.16 所示。

要查找文本的下一次出现位置，单击"查找下一处"按钮。

要替换文本的某一个出现位置，单击"替换"按钮，完成一次替换后插入点将移至该文本的下一个出现位置。

要替换文本的所有出现位置，单击"全部替换"按钮。

Word 还可以替换字符格式。例如，可以搜索特定的单词或短语并更改字体颜色，或搜索特定的格式（如加粗）并进行更改。首先选定需要替换的文本区域，单击"替换"按钮，打开"查找和替换"对话框的"替换"选项卡。输入查找文本与替换文本，单击"更多"按钮，可看到格式要求。过程如图 1.17 所示。

图 1.17　文本替换步骤

注意：由于查找内容和替换内容均可设定格式，因此在设定内容格式时需要注意光标所处的输入框。若是设定查找内容的格式，则光标必须处于"查找内容"的输入框中；若是设定替换内容的格式，则光标必须处于"替换为"输入框内。如果不小心设定错误，可以使用下方的"不限定格式"清除。

（2）设置段落格式

段落是文章的基本单位，内容上具有相对完整的含义，同时具有换行标志。在 Word里，段落以回车符进行区分，回车符代表段落的结束。没有文本但有回车符的是空段落，也是一种段落。不同的段落可以设置不同的格式。

段落基本格式与常用命令在段落功能组中，如图 1.18 所示。功能组常用功能已标出。

图 1.18 段落功能组

注意: 底纹命令所添加的底纹实际上只能是针对文本添加,而无法应用于整个段落对象,段落文本与段落对象的底纹区别见下文介绍。框线命令按钮图标会显示最近一次使用的框线功能图标,即随着操作而变化,并不固定。

① 段落的基本格式编辑

由于 Word 对段落的识别是基于回车符,因此对于段落对象的选定可以是选中整个段落,或者只需要将光标置于段落中任意位置。

A. 段落对齐

选中要编辑的段落,在"开始"选项卡→"段落"组中,选择对齐方式:"文本左对齐""居中""文本右对齐""两端对齐"或"分散对齐"。

B. 段落缩进

选中要编辑段落,单击"段落"功能组中的对话框启动器,或是右键菜单"段落",打开"段落"对话框的"缩进和间距"选项卡,如图 1.19 所示,可以直接在左侧、右侧缩进微调框中设置。对于首行缩进、悬挂缩进则可在特殊格式中进行选择,并设定缩进量。

对于中文段落,最常用的段落缩进是首行缩进 2 字符,选择"首行缩进"选项,然后在"磅值"微调框中设置首行的缩进间距量,如输入"2 字符"。

图 1.19 段落对话框"缩进和间距"选项卡

图 1.20　段落功能组 "行距"命令按钮

C. 段落行距与间距

行距的设定有两种方式,首先选中要编辑段落。

方法一:快速设定。在"开始"选项卡上的"段落"功能组中,单击"行距和段落间距"按钮,打开列表,在列表中选择合适的行距,如图 1.20 所示。

方法二:详细设定。打开段落对话框,在"间距"设定区域设定行距,内置有"单倍行距""1.5 倍行距""2 倍行距""最小值""固定值"以及"多倍行距"。其中"最小值"指的是适应每一行中最大字体或图形所需的最小行距,"固定值"指的是固定行距且 Word 不能自动调整,"多倍行距"指按指定的百分比增大或减少行距。例如,若需要 1.2 倍行距,则可设定为"多倍行距",然后在设置值输入框内手动输入 1.2 即可。

D. 段前、段后间距

段前、段后间距同样也有两种方式,首先选中要编辑段落。

方法一:快速设定。在"布局"选项卡→"段落"功能组中,在"间距"选项组中进行设置,如图 1.21 所示。

图 1.21　"布局"选项卡"段落"功能组

方法二:详细设定。与行距设定一样,在"段落"对话框中"间距"设定区域,如图 1.19 所示。

② 段落的高级格式编辑

A. 添加项目符号列表或编号列表

项目符号与编号是段落文本前的一个标志,可以使文本显示具有排列性,设定后能够自动添加,便于操作。项目符号与编号效果演示如图 1.22 所示。

step1.	打开连接计算机的外部电源开	★	打开连接计算机的外部电源开关,再按
step2.	按下主机上的电源开关,稍	★	按下主机上的电源开关,稍候显示器屏
	统开始自检。		始自检。
step3.	稍后将出现如图 1-1 所示的	★	稍后将出现如图 1-1 所示的引导界

　　　(a)编号示意图　　　　　　　　　　(b)项目符号示意图

图 1.22　项目符号与编号效果演示

选择要添加项目符号或编号的一个或多个段落。不连续的段落可以在选中的同时按下 Ctrl 键实现。在"开始"选项卡上的"段落"功能组中,单击"项目符号"按钮,或"编号"按钮添加默认形式的符号与编号,或是在右边▼下拉菜单中选择项目符号库或编号库中的其他格式,如图 1.23 所示。

图 1.23 项目符号下拉菜单选项

若 Word 提供的项目符号不能满足需要,用户则可以根据自己的喜好定义新的项目符号或者编号。以项目符号为例,首先选中待编辑段落,在项目符号下拉菜单中选择"定义新项目符号",用户可以选择使用符号库中任意符号甚至是图片作为项目符号。选定好符号后,还可以在"字体"命令中设定符号的字体格式,也可以设定符号的对齐方式。用户自定义项目符号选项如图 1.24 所示。定义新的编号格式与此完全类似。

图 1.24 自定义新的项目符号

再次单击"项目符号"按钮或"编号"按钮即可取消项目符号或编号格式,也可在下拉菜单的"编号库"中选择"无"选项,还可以通过"字体"功能组中的"清除格式"命令。

B. 边框与底纹

边框和底纹对于文字或段落是非常基本的编辑操作,添加边框或底纹的文本与段落可以突出显示,从而与其他文本形成直观对比。但是边框或底纹应用于文字或段落的效果是完全不一样的,对比效果如图 1.25 所示。

> 底纹和边框是对于文字或段落非常基本的编辑操作,添加底纹或边框的文本与段落可以突出显示,是可以与其他文本形成直观对比的一种方式。

(a) 边框应用于文字

> 底纹和边框是对于文字或段落非常基本的编辑操作,添加底纹或边框的文本与段落可以突出显示,是可以与其他文本形成直观对比的一种方式。

(b) 边框应用于段落

> 底纹和边框是对于文字或段落非常基本的编辑操作,添加底纹或边框的文本与段落可以突出显示,是可以与其他文本形成直观对比的一种方式。

(c) 底纹应用于文字

> 底纹和边框是对于文字或段落非常基本的编辑操作,添加底纹或边框的文本与段落可以突出显示,是可以与其他文本形成直观对比的一种方式。

(d) 底纹应用于段落

图 1.25 边框和底纹

在设定底纹与边框时尤其要注意应用对象,这就是为什么上文在介绍段落功能组时提到的底纹命令并不是应用于段落对象。因此,在设定边框、底纹时,无论对象是文字还是段落,都要通过段落功能组中框线命令下拉菜单的最后一项"边框与底纹",在弹出对话框中进行设定,如图 1.18 所示。框线命令一般初始状态可能会显示为"▦ ▾下框线"或其他框线命令。

边框设定:选定待编辑文本,打开"边框与底纹"对话框,切换至"边框"选项卡,如图 1.26 所示。根据需求选择框线类型"方框""阴影""三维"或是"自定义",注意初始时框线类型为"无",添加框线时一定要切换至其他类型;然后选择线条样式、颜色与宽度,最后选择"应用于"文字还是段落,设定完成后点击确定。

图 1.26 边框和底纹对话框-边框设定

　　底纹设定：选定待编辑文本，打开"边框与底纹"对话框，切换至"底纹"选项卡，如图 1.27 所示。根据需求选择底纹类型是"填充"还是"图案"，最后选择"应用于"文字还是段落，设定完成后点击确定。

图 1.27　边框和底纹对话框-底纹设定

　　（3）布局编辑

　　① 页面设置

　　页面设置包括文字方向、页边距、纸张方向、纸张大小以及文档网络，操作命令均位于"布局"选项卡中，如图 1.28 所示。

图 1.28　"布局"选项卡

　　A. 纸张大小

　　在"页面设置"功能组中，单击"纸张大小"按钮，如图 1.29 所示。从下拉列表中选择需要的纸张大小（默认为 A4）。

　　如果要自定义页面，选择列表中"其他页面大小"选项，显示"页面设置"对话框的"纸张"选项卡，在"宽度"和"高度"微调框中输入纸张大小。

　　B. 纸张方向

　　在"页面设置"功能组中，单击"纸张方向"按钮，从下拉列表中选择横向或纵向。

　　C. 文字方向

　　该操作可以更改页面中段落、文本框、图形、标注或表格单元格中的文字方向，使文字可以垂直或水平显示。

　　选定要更改文字方向的文本，或者单击包含要更改的文本的图形对象或表格单元格。在"页面设置"功能组中，单击"文字方向"按钮，从列表中选择需要的文字方向，如图 1.30 所示。

图1.29　纸张大小选项　　　　　　　图1.30　文字方向选项

D. 设置页边距

在"页面设置"功能组中,单击"页边距"按钮,从下拉列表中选择所需的页边距类型。如果要自定义页边距,从下拉列表中选择"自定义边距"选项,或者点击"页面设置"右下角对话框启动器打开对话框,切换至"页边距"选项卡,如图1.31所示。

图1.31　页面设置/页边距

在"上""下""左""右"框中,输入新的页边距值,可以通过"预览"框查看设置后的效果。

E. 每行字数和每页行数(文档网格)

在"布局"选项卡上,单击"页面设置"组中的对话框启动器,弹出"页面设置"对话框,然后切换至"文档网格"选项卡,如图1.32所示。网格类型有四种:无网格、指定行和字符网格、只指定行网格、文字对齐字符网格。若需同时调整每行字数与行数，则可以选择指定行和字符网格，然后在下方"字符数"与"行数"区域进行设置。

图1.32 页面设置/文档网络

F. 分栏

选定分栏段落，在"布局"选项卡上的"页面设置"组中，单击"分栏"按钮，从下拉列表中选择"一栏""两栏""三栏""偏左"或"偏右"选项，如果选择"更多分栏"选项，则弹出"分栏"对话框，如图1.33所示。

（a）分栏下拉菜单

（b）分栏对话框

图1.33 分栏

在"预设"选项组选定分栏，或者在"栏数"文本框中输入分栏数，在"宽度和间距"选项组中设置"宽度"和"间距"。如果需要各栏之间的分隔线，选中"分隔线"复选框。

需要注意的是,虽然日常分栏操作通常作用于段落,但分栏实质是针对页面对象,因此在分栏设置的过程中会出现一些"意外情况",尤其是分栏文本包含最后一个段落时(最后一个回车符所在段落)。简单地说,可以分成四种情况分析:

(a)首先是普通段落(非最后一段)的分栏,正常根据上述操作分栏,如图 1.34 -(a)所示,效果正常。

在"页面布局"选项卡上,单击"页面设置"组中的对话框启动器,弹出"页面设置"对话框,然后切换至"文档网格"选项卡,如图 4.29 所示。网格类型有四种。例如,若需同时调整每行字数与行数,则可以选择指定行和字符网格,然后在下方"字符数"与"行数"区域进行设置即可。

在"页面布局"选项卡上,单击"页面设置"组中的对话框启动器,弹出"页面设置"对话框,然后切换至"文档网格"选项卡,如图 4.29 所示。网格类型有四种。例如,若需同时调整每行字数与行数,则可以选择指定行和字符网格,然后在下方"字符数"与"行数"区域进行设置即可。

(a)普通段落分栏效果(两栏)

在"页面布局"选项卡上,单击"页面设置"组中的对话框启动器,弹出"页面设置"对话框,然后切换至"文档网格"选项卡,如图 4.29 所示。网格类型有四种。例如,若需同时调整每行字数与行数,则可以选择指定行和字符网格,然后在下方"字符数"与"行数"区域进行设置即可。

在"页面布局"选项卡上,单击"页面设置"组中的对话框启动器,弹出"页面设置"对话框,然后切换至"文档网格"选项卡,如图 4.29 所示。网格类型有四种。例如,若需同时调整每行字数与行数,则可以选择指定行和字符网格,然后在下方"字符数"与"行数"区域进行设置即可。

(b)最后一段落分栏效果(两栏)

在"页面布局"选项卡上,单击"页面设置"组中的对话框启动器,弹出"页面设置"对话框,然后切换至"文档网格"选项卡,如图 4.29 所示。网格类型有四种。例如,若需同时调整每行字数与行数,则可以选择指定行和字符网格,然后在下方"字符数"与"行数"区域进行设置即可。

在"页面布局"选项卡上,单击"页面设置"组中的对话框启动器,弹出"页面设置"对话框,然后切换至"文档网格"选项卡,如图 4.29 所示。网格类型有四种。例如,若需同时调整每行字数与行数,则可以选择指定行和字符网格,然后在下方"字符数"与"行数"区域进行设置即可。

(c)包含最后一段的多段分栏效果(两栏)

(d)分栏内容达到一定数量,包含最后一段的多段分栏效果(三栏)

图 1.34 分栏效果

(b) 第二是单独最后一段分栏,出现的分栏效果如图 1.34 -(b)所示,分栏出现了内容分布一边偏的情况。

(c) 第三是多段分栏,且包含最后一段的分栏效果,如图 1.34 -(c)所示,分栏依然出现了内容分布一边偏的情况。

(d) 最后是将文本内容不断增加,进行多段分栏后的效果,从图 1.34 -(d)可以看出,分栏文本逐渐填充整个页面。

出现上述情况的原因就是分栏的真正对象是文本而不是段落。对于最后一段引发的问题可以通过一个小技巧解决,在最后一段文本内容选择的时候,把最后一段的回车符排除在外即可。如何不选定段末回车符? 将鼠标往回拖一点即可,如图 1.35 所示。

在"页面布局"选项卡上,单击"页面设置"组中的对话框启动器,弹出"页面设置"对话框,然后切换至"文档网格"选项卡,如图 4.29 所示。网格类型有四种。例如,若需同时调整每行字数与行数,则可以选择指定行和字符网格,然后在下方"字符数"与"行数"区域进行设置即可。↵

在"页面布局"选项卡上,单击"页面设置"组中的对话框启动器,弹出"页面设置"对话框,然后切换至"文档网格"选项卡,如图 4.29 所示。网格类型有四种。例如,若需同时调整每行字数与行数,则可以选择指定行和字符网格,然后在下方"字符数"与"行数"区域进行设置即可。↵

图 1.35　最后一段文本不选中回车符

② 页眉与页脚

A. 插入页眉或页脚

在"插入"选项卡上的"页眉和页脚"组中,单击"页眉"或"页脚"按钮,从下拉列表中选择所需的页眉或页脚样式,如图 1.36 所示。随后进入"页眉和页脚"视图,且功能区选新增"页眉和页脚工具"。在"键入文字"处输入文字,页眉或页脚即被插入文档的每一页中,如图 1.37 所示。编辑完成后点击"关闭页眉和页脚"。

注意:页眉、页脚以及页码编辑状态与界面完全相同,如图 1.38 所示。

B. 奇偶页使用不同的页眉或页脚

设置奇偶页不同有两种方法。

方法一:打开"页面设置"对话框,切换至"版式"选项卡,选中"页眉和页脚"选项组中的"奇偶页不同"复选框即可,如图 1.39 所示。

方法二:进入页眉页脚编辑状态中,在"选项"功能组中,勾选"奇偶页不同"复选框即可,如图 1.37 所示。

图 1.36　页眉命令下拉菜单

图1.37　页眉编辑区

C. 更改页眉或页脚的内容

在"插入"选项卡上的"页眉和页脚"组中,单击"页眉"或"页脚"命令,选择"编辑页眉"或"编辑页脚",如图1.38所示。选择文本并进行更改即可。

若想要在页眉页脚视图与文档页面视图间快速切换,只要双击灰色的页眉页脚或灰显的文本即可。

图1.38　页眉页脚编辑视图　　　　图1.39　"页面设置"对话框设置奇偶页不同

D. 删除页眉或页脚

单击文档中的任何位置,在"插入"选项卡上的"页眉和页脚"组中,单击"页眉"或"页脚"按钮,从下拉列表中选择"删除页眉"或"删除页脚"选项,页眉或页脚即被从整个文档中删除。

③ 设置页码

A. 插入页码

在"插入"选项卡"页眉和页脚"功能组中,单击"页码"按钮,打开下拉列表。根据页码在文档中希望显示的位置,选择"页面顶端""页面底端""页边距"或"当前位置",然后再选择需要的页码样式。接着进入"页眉和页脚"视图,插入点在页码编辑区域闪烁,可以输入或修改页码。若文档已设置了奇偶页不同,则在插入页码时需要注意奇数页与偶数页均要插入页码。单击选项卡上的"关闭页眉和页脚"按钮返回到文档编辑视图。

B. 设置页码格式

双击文档中某页的页眉或页脚区域,进入"页眉和页脚"视图,在"页眉和页脚工具"下"设计"选项卡上的"页眉和页脚"组中,单击"页码"按钮,从下拉列表中选择"设置页码格式",弹出"页码格式"对话框,如图 1.40 所示。选择合适的编号格式,然后单击"确定"按钮。

或者,在"插入"选项卡"页眉和页码"工作组中,单击"页码"命令,从下拉列表中选择"设置页码格式",同样弹出"页码格式"对话框。

C. 修改页码的字体和字号

首先,进入"页眉和页脚"视图,选中页码,在所选页码上方显示的浮动工具栏上,用该工具栏更改字体和设置字体等。也可以在"开始"选项卡的"字体"组中设置字体大小等。

图 1.40 "页码格式"对话框

D. 设置起始页码

有的时候,文章的起始页码不一定是从"1"开始,例如有封面并且希望文档的第一页编号从"0"开始,此时则需要设置起始页码。进入页眉和页脚视图,打开"页码格式"对话框,在"页码编号"区域选中"起始页码"单选按钮,在其后的文本框中输入设定值即可。

E. 删除页码

在"插入"选项卡上的"页眉和页脚"组中,单击"页码"按钮,从下拉列表中选择"删除页码"命令;如果"删除页码"为灰色,则需要在"页眉和页脚"视图中手动删除页码。无论是单击"删除页码"还是手动删除文档中单个页面的页码,都将自动删除所有页码。

如果设置了文档首页页码不同,或者奇偶页的页眉或页脚不同,就必须从每个不同的页眉或页脚中删除页码。

④ 设置页面边框

页面边框与段落边框底纹的添加方式相同,在"开始"选项卡中"段落"功能组"边框命令"下拉菜单,打开"边框与底纹"对话框,切换至"页面边框"选项卡;或是在"布局"选项卡"页面背景"功能组中点击"页面边框",打开"边框与底纹"对话框,并自动切换至"页面边框"选项卡。

(4) 图形对象:图片、形状、文本框及艺术字

① 图片或剪贴画

A. 插入图片或剪贴画

若要插入图片,首先将光标置于文档中要插入图片的位置,在"插入"选项卡的"插图"功能组中,单击"图片"按钮,弹出"插入图片"对话框,如图 1.41 所示,然后找到要插入的图片

图 1.41　插入图片对话框

并双击图片,此时图片即被插入。

B. 选中图片

单击文档中的图片,图片边框会出现 8 个尺寸控点,表示该图形已被选中,同时将出现"图片工具"选项卡。利用图片的尺寸控点和"图片工具"选项卡,可以设置图片的格式。

C. 更改图片的环绕方式

插入的图片一般默认为"嵌入型",若要改变图片的环绕方式,首先选中图片,然后在"格式"选项卡"环绕文字"如图 1.42 所示;或是右上角快捷菜单中选择"布局选项",单击"查看更多…",将弹出"布局"对话框,选择"文字环绕"选项卡,如图 1.43 和 1.44 所示。

图 1.42　"插入图片"任务窗格

图 1.43　更改环绕方式

注意:后面介绍的形状、文本框以及艺术字其实均属于图片对象的一种,均可以通过以上操作更改图片的环绕方式。

图 1.44 "布局"对话框-"文字环绕"选项卡

D. 调整图片大小与位置

图片大小调整有两种方式:粗略调整和精确调整。

(a)粗略调整。选中图片,将指针置于其中的一个控点上,直至鼠标指针变为双箭头,左键拖动控制点即可,待图片大小合适后,松开左键。

(b)精确调整。选中图片,在"图片工具"下"格式"选项卡"大小"功能组中,通过"高度"和"宽度"命令调整图片的大小。

也可单击"大小"功能组的对话框启动器,还可从右键快捷菜单中单击"大小和位置"按钮,将弹出"布局"对话框的"大小"选项卡,选择"锁定纵横比"命令可保持图片不变形、"相对原始图片大小"可以设定缩放图片的基准,单击"重置"按钮则图片复原。

图片位置也在"布局"对话框中进行设定,切换至"位置"选项卡,可以设定图片在文档中的固定位置,如图 1.45 所示。

(a)"布局"对话框-"大小"选项卡

(b)"布局"对话框-"位置"选项卡

图 1.45 "布局"对话框

图 1.46　形状下拉菜单

② 形状

形状是早期 Word 版本中的自选图形。

A. 插入形状

单击"插入"选项卡"插图"工作组中"形状"按钮,弹出的形状列表中提供了 6 种类型形状:线条、基本形状、箭头总汇、流程图、标注和星与旗帜,如图 1.46 所示。单击选中所需形状,在文档中的任意位置,按住左键拖动以放置形状。

如果要创建规范的正方形或圆形,则在拖动的同时按住"Shift"键。

B. 向形状添加文字

选中要添加文字的形状,右键菜单中选择"添加文字"命令。插入点出现在形状中,然后输入文字。添加的文字将成为形状的一部分。同时,也可以为形状中的文字添加项目符号或列表。右击选定的文字,在弹出的快捷菜单上,选择"项目符号"或"编号"命令。

C. 设置形状线条与填充

选中要添加文字的形状,右键菜单"设置形状格式",或是在"绘图工具"功能区"格式选项卡"中单击"形状样式"对话框启动器,弹出"设置形状格式"对话框,如图 1.47 所示,在左侧菜单中选择"填充""线条颜色"与"线型"进行设置。也可以在"绘图工具"功能区"格式"选项卡中单击"形状样式"对话框启动器,设定"形状填充"与"形状轮廓","形状轮廓"即调整形状的线条效果。

D. 形状的大小与环绕方式

形状大小与环绕方式的设置与图片相同。

E. 形状的效果

在"绘图工具"功能区"格式"选项卡中"形状样式"功能组单击"形状效果"下拉菜单,可进行设置,如图 1.48 所示。

图 1.47　"设置形状格式"对话框

图 1.48　形状效果下拉菜单

③ 文本框

A. 绘制文本框

在"插入"选项卡上的"文本"功能组中，单击"文本框"按钮，弹出文本框列表。单击列表下部的"绘制文本框""绘制竖排文本框"按钮，指针变为"＋"，在文档中需要插入文本框的位置左键拖动所需大小的文本框。文本框是形状的一种，因此也可在形状中选择文本框并绘制。

若要向文本框中添加文本，可单击文本框，然后输入文本。若要设置文本框中文本的格式，请选择文本，然后使用"开始"选项卡上"字体"功能组中的格式设置选项。

B. 更改文本框的边框与填充

操作方法与形状相同。

④ 艺术字

A. 插入艺术字

先在文档中要插入艺术字的位置单击，然后在"插入"选项卡上的"文本"功能组中单击"艺术字"按钮，从弹出的下拉列表中单击任一艺术字样式（如图1.49所示），就会出现艺术字编辑文本框，如图1.50所示。在艺术字文本框中，用户可以编辑文本，并重新设置字体格式等。

B. 艺术字文本填充、文本线条以及外观效果设置

对于文本字符的填充效果以及线条设置和外观效果，可以在"绘图工具"功能区"格式"选项卡中单击"艺

图 1.49　艺术字命令下拉菜单

术字样式"对话框启动器，设定"文本填充""文本轮廓"以及"文本效果"，如图1.51所示。

图 1.50　艺术字文本框　　　　　图 1.51　艺术字样式功能组

以上三种操作之后艺术字设置的效果显示如图1.52所示。

请在此放置您的文字
（a）艺术字默认效果

请在此放置您的文字
（b）艺术字"文本填充"效果

请在此放置您的文字
（c）艺术字"文本轮廓"效果

请在此放置您的文字
（d）艺术字"倒V形转换"文本效果

图 1.52　艺术字效果

C. 艺术字文本框效果设置以及环绕方式

不同于艺术字文本样式设置,文本框效果设定如图 1.53 所示。

图 1.53 艺术字文本框设置填充与线条样式效果

艺术字属于文本框,因此文本框效果设定方式与普通文本框相同,详见前文。同时艺术字也属于图片,因此环绕方式等操作与图片相同。

(5) 表格

① 插入表格

在"插入"选项卡的"表格"组中,单击"表格"按钮,按住利用鼠标在网格上选择需要的行数和列数(无需点击,只需在网格上方划过),确定行列数后左键单击,表格被插入,如图1.54所示。

图 1.54 鼠标选定行列数插入表格

图 1.55 "插入表格"对话框

也可以使用对话框插入表格。在"插入"选项卡上的"表格"组中,单击"表格"按钮,从下拉菜单中选择"插入表格"命令,弹出"插入表格"对话框,在"表格尺寸"处,输入列数和行数。在"自动调整"操作下方调整表格尺寸。单击"确定"按钮,完成操作,如图 1.55 所示。再者,还可以通过绘制表格命令手动绘制。

② 文本和表格相互转换

A. 将文本转换成表格

选定要转换的文本,在"插入"选项卡的"表格"组中,单击"表格"按钮,在下拉列表中单击"文本转换成表格"按钮,弹出"将文字转换成表格"对话框,如图 1.56 所示。

在对话框的"文字分隔位置"选项中,单击要在文本中使用的分隔符的选项,在"列数"框中选择列数。如果未显示设置的列数,则可能是文本中的一行或多行缺少分隔符。选择需要的任何其他选项,单击"确定"按钮。

B. 将表格转换成文本

选择要转换成段落的行或表格,在"表格工具"中"布局"选项卡"数据"组内,或者在"插入"选项卡"表格"功能组"表格"下拉菜单,单击"转换为文本"按钮,弹出"表格转换成文本"对话框,如图 1.57 所示。在"文字分隔位置"组下,单击要用于代替列边界的分隔符对应的选项。表格各行用段落标记分隔,最后单击"确定"按钮。

图 1.56　"将文字转换成表格"对话框

图 1.57　"表格转换成文本"对话框

③ 设置表格格式

A. 选中表格

将鼠标置于表格左上角,单击 ⊞ 图标,即可选中整个表格。或者在"表格工具"工具栏下,单击"布局"选项卡,在"表"组中单击"选择"按钮,从弹出的下拉列表中选择"选择表格"命令。将鼠标移至列标题上方或行左侧,待鼠标变为黑色实心箭头单击,即可选中行、列。

B. 绘制表格框线

单击"设计"选项卡,在"设计"选项卡的"表格样式"组中,单击"边框"按钮后箭头,从弹出的下拉列表中,单击预定义边框集之一,如图 1.58 所示。

图 1.58　表格框线绘制

如需绘制自定义框线，则先在"绘图边框"功能组中设定线条样式、宽度与颜色，再单击"边框"，从弹出的下拉列表中，单击合适的边框类型。

C. 修改底纹

选择所需要的单元格，在"表格工具"下，单击"设计"选项卡；在"表样式"组中，单击"边框"按钮后的箭头，从列表中单击"边框和底纹"按钮；弹出"边框和底纹"对话框，然后单击"底纹"选项卡，单击"填充""样式""颜色"选项后的箭头，从列表中选择选项；在"应用于"选项列表中，选取"单元格"或"表格"。如果要取消底纹，选择"无颜色"即可。

用户也可以选中表格，右击该表格，从弹出的快捷菜单中选择"边框和底纹"命令。

D. 插入行、列

在要添加行或列的任意一侧单元格内单击，在标题栏的"表格工具"下，单击"布局"选项卡，在"行和列"功能组中选择插入位置，如图 1.59 所示。

图 1.59 行和列功能组

如果要在表格末尾快速添加一行，则可把插入点放置到表格右下角的单元格中，按 Tab 键。或者把插入点放置到表格最后一行的右端框线外的换段符前，按 Enter 键，即可在表格最后一行后添加一空白行。

E. 删除单元格、行或列

选中要删除的单元格、行或列，在标题栏的"表格工具"下，单击"布局"选项卡；在"行和列"组中，单击"删除"按钮，从弹出下拉列表中根据需要选择"删除单元格""删除行"或"删除列"命令。

F. 合并或拆分单元格

用户可以将同一行、列中的两个或多个单元格合并为一个单元格。选中要合并的多个单元格，在标题栏的"表格工具"下，"布局"选项卡上的"合并"组中，选择"合并单元格"命令。

在单个单元格内单击，或选中要拆分的单元格，在标题栏的"表格工具""布局"选项卡上的"合并"组中，选择"拆分单元格"命令，弹出"拆分单元格"对话框，输入要将单元格拆分成的列数或行数。

G. 调整表格的列宽和行高

快速调整：将指针停留在需更改其宽度的列的边框上（或者高度的行的边框上），待鼠标变成双线双箭头形式，按住左键并拖动边框，调整到所需的列宽。

精准调整：在"单元格大小"功能组中进行设置，如图 1.60 所示；或者在"表格属性"对话框的"行"（或列）选项卡中通过设置改变行高（列宽），如图 1.61 所示。

图 1.60 "单元格大小"功能组   图 1.61 "表格属性"对话框"行"选项卡

④ 表格内数据的排序与计算

A. 表格内容的排序

选中表格,在标题栏的"表格工具""布局"选项卡里的"数据"组中,单击"排序"按钮,弹出"排序"对话框,在"主要关键字"选定排序主要字段,若排序条件为多个,则继续设定"次要关键字"以及"第三关键字"等。在"列表"选项组下,根据选定表格内容是否含有标题内容选择"有标题行"或"无标题行"两个选项。最后选择"升序"或"降序"选项,如图 1.62 所示。

如果按姓名笔画升序排序,则可在"主要关键字"组下选择"姓名"选项,在"类型"中选"笔画""升序"选项,选择"确定"命令。完成后,表格内容按要求排序。

图 1.62 排序对话框

B. 公式计算

方法一:利用函数计算

光标放置于计算结果所在的单元格中,例如平均成绩单元格中,如图 1.63 所示。

成绩表

姓名	语文	英语	数学	平均成绩
张三	64	50	53	
李四	80	78	85	
赵前	76	86	91	
孙武	70	40	62	

图 1.63　光标所处位置

在标题栏的"表格工具"下"布局"选项卡上的"数据"组中,单击"公式"按钮。弹出"公式"对话框,如果选定的单元格位于一行数值的右侧,则在"公式"文本框中显示"＝SUM(LEFT)",表示对左侧的数值求和;如果选定的单元格位于一列数值的下方,则在"公式"文本框中显示"＝SUM(ABOVE)",表示对上方的数值求和,如图 1.64 所示。

图 1.64　公式对话框

如需选择其他函数,则可以选择"粘贴函数"列表中的"AVERAGE"命令,"AVERAGE"则会出现在"公式"选项框中。把"公式"选项框中的公式修改为"＝AVERAGE(LEFT)"。

方法二:利用自定义计算式计算

Office 中为表格的单元格定义了"地址"的概念,单元格地址即单元格所处行列的命名方式。与 Excel 保持一致,单元格地址由字母和数字构成,数字表示所处行,字母表示所处列,书写上字母在前,数字在后,例如第 2 行第 3 列单元格地址为"C2"。

在"公式"对话框中以等号"＝"开头,输入自定义计算式,如"＝A3＋C2 * 2",如图 1.65 所示。

图 1.65　自定义计算式输入

（6）脚注与尾注

文章常会出现一些需要添加注释的文本，对于这些文本我们就可以在页面底端添加脚注。尾注是一种对文本的补充说明，一般位于文档的末尾，列出引文的出处等。而脚注在每页页面底端区域，如图 1.66 所示。

图 1.66 脚注与尾注位置区别

脚注或尾注的添加方式：光标移至需添加文本处，无需选中文本，功能区切换至"引用"选项卡，在脚注功能组中，单击"插入脚注"或者"插入尾注"。

如需更改已插入脚注，则先将光标置于脚注区域内，如图 1.67 所示。点击"脚注"功能组右下对话框启动器，打开"脚注和尾注"对话框，如图 1.68 所示。在对话框"编号格式"下拉菜单中选择合适的格式类型，或者可以"自定义标记"，设置"起始编号"以及"编号"方式，完成之后不要点击"插入"，而是点击"应用"，否则会造成重复插入。

1 脚注文本编辑区域

图 1.67 脚注文本编辑区域

图 1.68 脚注和尾注对话框

如需删除脚注，删除正文中脚注编号即可，方法是鼠标左键选中脚注编号，按 Delete 键删除。如果无法直接删除，则要先删除脚注内容，再将脚注删除。尾注删除方式相同，也可以通过替换操作实现脚注删除，有兴趣的读者可以查阅相关资料尝试。

（7）其他编辑注意事项

① 度量单位

（a）默认度量单位为"磅"　　　　　　　　（b）手动输入度量单位为"厘米"

图 1.69　度量单位

在编辑一些参数时，例如行距、页边距等属性时，会遇到一些度量单位，如"厘米""磅""英寸"等，某些特定的单位下可以直接在输入框内将数值与单位同时输入，或者在"文件"选项卡"选项"菜单中的"高级"设置内，将"显示"中的"度量单位"进行调整。

② 格式刷操作

格式刷操作位于"开始"选项卡"剪贴板"功能组中，该功能可以实现不同格式之间的复制，以减少重复操作。

使用格式刷操作要注意操作顺序，首先选中已编辑好格式的文本或段落，然后点击格式刷命令，此时格式刷图标呈现黄色突出的状态，鼠标会变成刷子状态，此时将鼠标移动到待编辑文本开头处，按下鼠标左键并一直拖动，直至文本结尾，松开左键即可。

实验二　Word 基本操作案例

一、实验目的

1. 掌握 Word 的基本编辑功能。

2. 掌握图片、文本框、艺术字等的编排方法。

二、实验内容与步骤

根据下述要求将文档素材"低碳化.docx"编辑成图 1.70 所示样式。

图 1.70 "低碳化.docx"编辑样张

1. 将页面设置为:B5(JIS)纸,上、下页边距为 1.8 厘米,左、右页边距为 2 厘米,每页 42 行,每行 40 个字符。

【操作步骤】

打开【布局】选项卡→【页面设置】功能组→"页面设置"对话框,如图 1.71 所示。

（a）页面设置对话框-页边距选项卡　　　　（b）页面设置对话框-纸张选项卡

（c）页面设置对话框-文档网格选项卡

（d）页面设置后效果

图 1.71　页面设置

　2. 给文章加标题"低碳掀起世界文明第四次浪潮"，居中显示，设置其格式为楷体、二号字、加粗、绿色，字符缩放为 120％，居中显示，并设置段后间距 0.5 行。

【操作步骤】

　鼠标在文档开始处回车，插入一个空行，输入标题"低碳掀起世界文明第四次浪潮"并选中标题。

设定字体格式：选中标题文本→右键"字体"→"字体对话框"，如图 1.72 所示；在设置字符缩放时由于内置选项没有 120%，因此需要手动调整数值。

（a）字体对话框–字体选项卡

（b）字体对话框–高级选项卡

图 1.72　字体对话框

设定段落格式：右键"段落"→"段落对话框"，对齐方式居中，段后 0.5 行，如图 1.73 所示。

图 1.73　段落对话框设置

3. 将正文中所有小标题设置为绿色、小四号字、加粗、倾斜，并将各小标题的数字编号改为红色草花♣符号（草花♣符号位于符号字体 Symbol 中）。

【操作步骤】

创建项目符号：利用 Ctrl 键选中各小标题，点击【开始】选项卡→【段落】功能组→"项目符号"→"定义新的项目符号"，如图 1.74 所示。

若初始只选中一个小标题进行编辑，后期可以利用"格式刷"实现其他标题的相同操作；或者可以在"项目符号"下拉菜单中找到最近使用的项目符号，即红色草花♣。

设定字体格式：【开始】选项卡→【字体】功能组（字号、字体颜色、加粗、倾斜），如图 1.74 所示。

删除原编号：（1）～（7）。

4. 设置正文所有段落（不含小标题）行距为 1.2 倍，第二段首字下沉 2 行，首字字体为隶书，其余各段（不含小标题）均设置为首行缩进 2 字符；中间段落"建筑低碳化"正文（不含小标题），设置中文字字体为黑体，西文字体为 Calibri。

【操作步骤】

首字下沉：【插入】选项卡→【文本】功能组→"首字下沉"下拉菜单→"首字下沉选项"→"首字下沉"对话框，如图 1.75 所示。

图 1.74 定义新的项目符号

图 1.75 首字下沉对话框

设置正文段落格式：利用 Ctrl 键选中待编辑段落→右键"段落"→"段落"对话框→"缩进"特殊格式→"行距"多倍行距（手动输入 1.2），如图 1.76 所示。

若未同时选中多个段落，则其余段落可以通过相同操作实现，也可以使用"格式刷"复制相同格式。

图 1.76 段落对话框

设置中间段落字体：选中段落文本→右键"字体"→"字体"对话框（设定中文字体与西文字体），如图 1.77 所示。

图 1.77　字体对话框

5. 将正文(不含标题)中所有的"结能"替换为"节能",字体颜色为紫色,带波浪下划线,线条颜色也为紫色。

【操作步骤】

光标定位在正文前,点击【开始】选项卡→【编辑】功能组→"替换"→"查找与替换"对话框→查找"结能",替换为"节能"→"更多"→"格式"→"全部替换",如图 1.78 所示。设定完成弹出对话框"是否搜索文档的其余部分?"选择"否"。

(a)查找与替换对话框

（c）不搜索文档的其余部分

图 1.78　查找与替换

6. 设置奇数页页眉为"低碳化"，偶数页页眉为"绿色地球"，在页面底端插入页码，类型为"普通数字 3"；为正文第二段"CO2"添加脚注"CO2：二氧化碳"。

【操作步骤】

设置页眉：【插入】选项卡→"页眉"下拉菜单→"编辑页眉"→进入"页眉页脚"编辑视图→【设计】选项卡→【选项】功能组→勾选"奇偶页不同"→"输入页眉文本"，如图 1.79 所示。

注意：在题目没有指定页眉样式时，不选择任何内置页眉样式，通过"编辑页眉"命令插入页眉。

图 1.79　编辑页眉

插入页码：保持"页眉页脚"编辑视图→"页眉和页脚"功能组→"页码"下拉菜单→"页面底端"→"普通数字 3"→对偶数页（或奇数页）再进行一次页码插入操作→"关闭页眉和页脚"，如图 1.80 所示。

图 1.80　页码插入

由于编辑页眉时设置了奇偶页不同,因此在插入页码时也可以选择格式不同的奇偶页页码,从而导致在插入页码时必须插入两次。

如果编辑完页眉关闭了页眉和页脚视图,则可以从【插入】选项卡→【页眉和页脚】功能组中的"页码"命令插入指定要求的页码格式,并再次进入页眉页脚视图。

添加脚注:光标置于"CO2"处→【引用】选项卡→"插入脚注"→"编辑脚注",如图 1.81 所示。

物和居民提供采暖、热水、空调、照明

,导致 CO2 排放过度，　　⟹　　_____

1 CO2: 二氧化碳

图 1.81　脚注插入效果

图 1.82　艺术字样式设定

7. 在文章中插入艺术字"绿色低碳化",艺术字样式"填充-白色,轮廓-着色 1,阴影",艺术字文本效果为"转换-左远右近"。

【操作步骤】

【插入】选项卡→【文本】功能组→"艺术字"下拉菜单→"选择艺术字"→"绘图工具-格式"选项卡→"艺术字样式"功能组→"文本效果"→"转换"→"左远右近",如图 1.82 所示。

注意:在选定插入艺术字文本框后,有时会出现文本有缩进的现象,遇到此类情况只需将前面缩进空白删除即可。

8. 为"农业低碳化"正文段落(不包含小标题)添加黄色底纹,为整篇文档添加 1.5 磅带阴影的页面边框。

【操作步骤】

【开始】选项卡→【段落】功能组→"边框"下拉菜单→"边框与底纹"→"边框与底纹"对话框→"底纹"选项卡→"边框与底纹"对话框→"页面边框"选项

卡，如图 1.83 所示。

（a）段落底纹设定　　　　　　　　　　　（b）页面边框设定

图 1.83　边框与底纹

9. 在正文适当位置插入图片 pic.jpg，设置图片高度和宽度分别为 4 厘米和 6 厘米，环绕方式为四周型。

【操作步骤】

【插入】选项卡→【插图】功能组→"图片"→"插入图片"对话框→选择图片文件"pic.jpg"→右键"大小和位置"→"布局"对话框。

插入图片对话框如图 1.84 -(a)所示，布局对话框如图 1.84 -(b)所示。在设定图片大小时，务必将"锁定纵横比"的选项去掉，否则，图片的大小始终都会满足某种比例。

（a）插入图片对话框　　　　　　　　　　（b）布局对话框

图 1.84　插入图片

10. 在正文适当位置插入云形标注，添加文字"减排 CO_2"，设置文字格式为：华文行楷、小三号字；设置形状格式为：浅绿色填充色、紧密型环绕，右对齐。

【操作步骤】

绘制形状：【插入】选项卡→"插图"→"形状"→"云形标注"→绘制，如图 1.85 -(a)所示。

文本编辑与格式:右键"编辑文字"→输入文本→【开始】选项卡→【字体】功能组(字号)。

设置形状格式:右键"设置形状格式"(**注意**:在图形边框处右击鼠标,不要在里面文字上)→"填充"→右键"环绕文字"(紧密型环绕),再在"绘图工具-格式"选项卡→"对齐"(右对齐),如图 1.85 -(c)和(d)所示。

（a）形状选择　　　　　　　　　　　　　（b）设置形状格式填充效果

（c）环绕文字-紧密环绕　　　　　　　　　（d）右对齐设置

图 1.85　环绕方式

11. 文章最后一段分栏,分成等宽两栏,中间有分隔线。

【操作步骤】

选中最后一段文本(**注意**:最后一段分栏不能包括回车符)→【布局】选项卡→"分栏"→

"更多分栏"→"分栏"对话框(预设两栏,勾选分隔线),如图 1.86 所示。

图 1.86 分栏

综合练习

一、打开"Word 练习 1 素材.docx",完成下列操作并保存。

1. 将页面设置为:A4 纸,上、下页边距为 2.6 厘米,左、右页边距为 3.2 厘米,每页 42 行,每行 38 个字符。

2. 给文章加标题"了解量子通信",设置其格式为黑体、一号字、标准色-蓝色,居中显示。

3. 设置正文第一段首字下沉 3 行,距正文 0.2 厘米,首字字体为楷体,其余各段设置为首行缩进 2 字符。

图 1.87 练习 1 样张

4. 将正文中所有的"量子通信"设置为标准色-绿色、加双下划线。

5. 参考样张，在正文适当位置插入图片"量子通信.jpg"，设置图片高度为4厘米、宽度为5厘米，环绕方式为四周型。

6. 设置奇数页页眉为"量子通信"，偶数页页眉为"前沿科技"，均居中显示，并在所有页的页面底端插入页码，页码样式为"三角形2"。

7. 将正文最后一段分为偏右两栏，栏间加分隔线。

8. 保存文件"Word练习1.docx"。

二、打开"Word练习2素材.docx"，完成下列操作并保存。

1. 将页面设置为：A4纸，上、下、左、右页边距均为2.5厘米，每页42行，每行40个字符。

2. 给文章加标题"建设高铁势在必行"，设置其格式为幼圆、加粗、三号字、字符间距加宽1.5磅，居中显示，给标题段落添加单波浪线、标准色-绿色、1.5磅方框。

3. 设置正文第二段首字下沉3行，距正文0.1厘米，首字字体为黑体，其余各段设置为首行缩进2字符。

4. 将正文中所有的"高速铁路"设置为标准色-红色、倾斜、加着重号。

5. 参考样张，在正文适当位置插入图片"高铁.jpg"，设置图片高度为5厘米、宽度为7厘米，环绕方式为穿越型。

6. 参考样张，在正文适当位置插入云形标注，添加文字"高铁拉动内需"，设置文字格式为宋体、四号字，形状填充主题颜色-水绿色、强调文字颜色5，环绕方式为四周型。

7. 设置奇数页页眉为"高铁经济"，偶数页页眉为"飞速发展"，均居中显示，并在所有页插入"年刊型"页脚。

图1.88 练习2样张

8. 保存文件"Word 练习 2.docx"。

三、打开"Word 练习 3 素材.docx",完成下列操作并保存。

1. 将"Word 练习 3 素材.docx"文件另存为"Word 练习 3.docx"(".docx"为扩展名),除特殊指定外后续操作均基于此文件。

2. 将文本转换为 7 行 4 列的表格,设置行高为 0.8 厘米,列宽为 3 厘米,表格居中显示。

3. 为表格加标题"水果库存表",字体格式:华文琥珀,三号字,居中显示。

4. 将表格按照商品单价升序进行排序,并利用公式"库存金额＝单价＊库存量"计算库存金额。

水果库存表

商品名称	单价	库存量	库存金额
梨	7.6	2537	19281.2
苹果	12.58	2342	29462.36
草莓	24.8	890	22072
橙子	25.6	2134	54630.4
枇杷	30	623	18690
车厘子	75	258	19350

图 1.89 练习 3 样张

5. 设置标题行为浅蓝色填充,设置表格外框线为蓝色、1.5 磅双线,内框线为红色、0.5 磅细实线。

6. 设置表格文本为靠下居中对齐。

7. 保存文件"Word 练习 3.docx"。

四、打开"Word 练习 4 素材.docx",完成下列操作并保存。

1. 将"Word 练习 4 素材.docx"文件另存为"Word 练习 4.docx"(".docx"为扩展名),除特殊指定外后续操作均基于此文件。

2. 将页面设置为:A4 纸,上、下页边距为 2.5 厘米,左、右页边距为 3.5 厘米,每页 40 行,每行 36 个字符。

3. 给文章加标题"青果巷",设置其格式为微软雅黑、二号字、标准色-蓝色、字符间距加宽 8 磅,居中显示。

4. 设置正文第二段首字下沉 2 行,距正文 0.2 厘米,首字字体为黑体,其余段落设置为首行缩进 2 字符。

5. 为正文第三段添加 1.5 磅、标准色-绿色、带阴影的边框,底纹填充色为主题颜色-金色、个性色 4、淡色 80％。

6. 参考样张,在正文适当位置插入图片"青果巷.jpg",设置图片高度为 4 厘米、宽度为 8 厘米,环绕方式为四周型,图片样式为柔化边缘矩形。

7. 将正文最后一段分为等宽的两栏,栏间加分隔线。

8. 参考样张,在正文适当位置插入圆角矩形标注,添加文字"青果巷的修护",文字格式为黑体、三号字、标准色-红色，设置形状轮廓颜色为标准色-绿色、粗细为2磅、无填充色、环绕方式为紧密型。

9. 保存文件"Word练习4.docx"。

图1.90　练习4样张

第2章

Excel 2016 基础应用

Excel 是 Microsoft Office 办公组件中用于数据处理的电子表格软件。它以直观的表格形式、简单的操作方式和友好的操作界面，为用户提供了表格设计、数据处理（计算、排序、筛选、统计）等强大功能。

实验一 Excel 基本操作

一、实验目的

1. 掌握工作簿、工作表、单元格、单元格区域的基本操作。
2. 掌握数据的录入、填充、公式计算、函数计算等操作。
3. 掌握数据的格式化操作，以及排序、筛选、分类汇总。
4. 掌握图表的制作。

二、实验内容与步骤

1. 启动 Excel
（1）单击"开始"按钮，选择"所有程序"组中的"Microsoft Excel 2016"，即可启动 Excel。
（2）若桌面上有 Excel 快捷方式图标，双击它，也可启动 Excel。

2. Excel 窗口
Excel 工作窗口及界面与 Word 很相似，窗口由标题栏、选项卡、功能区、编辑栏、名称框、状态栏、工作表区域等组成，如图 2.1 所示。

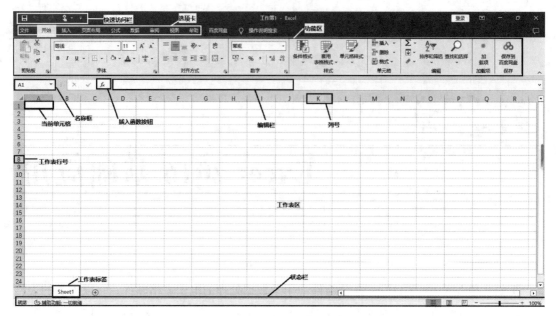

图 2.1　Excel 2016 窗口界面

3. 工作簿、工作表和单元格

（1）工作簿：一个 Excel 文档就是一个工作簿，其扩展名为.xlsx。工作簿有多种类型，包括 Excel 工作簿（＊.xlsx）、Excel 启用宏的工作簿（＊.xlsm）、Excel 二进制工作簿（＊.xlsb）、Excel 97 - 2003 工作簿（＊.xls）等类型，其中 ＊.xlsx 是 Excel 2016 默认的保存类型。

（2）工作表：默认情况下每个工作簿中包括一个名称为 Sheet1 工作表，可改名；工作表可根据需要增加或减少，工作表可容纳的最大工作表数目与可用内存有关；工作表是 Excel 窗口的主体，由行和列组成，每张工作表包含 1048576 行和 16384 列；工作表由工作表标签来标识，单击工作表标签按钮可以实现不同工作表之间的切换。

（3）单元格：工作表中行和列相交形成的框称为单元格，它是组成工作表的最小单位。每个单元格用其所在的列标和行号标识，列标是字母，行号是数字，字母在前，数字在后。例如，A3 单元格位于工作表第一列第三行的单元格。用户单击某单元格时，在名称框中会出现该单元格的名称，如图 2.2 所示。单元格中可以输入文本、数值、公式等。

图 2.2　单元格名称和当前单元格

（4）当前单元格：用鼠标单击一个单元格，该单元格就是当前（选定）单元格，此时单元格的框线变成粗线。

4. 退出 Excel

（1）单击窗口右上方 Excel 窗口的关闭按钮。

（2）选择文件选项卡下的关闭命令。

（3）按快捷键 Alt＋F4。

5. 建立工作簿

（1）在"文件"选项卡下，选择"新建"选项，在右侧单击"空白工作簿"按钮，可以创建一个空白文档。

（2）单击快速访问工具栏中的"新建"按钮。

6. 保存工作簿

（1）选择文件选项卡下的保存命令。

（2）单击快速访问工具栏中的保存按钮。

（3）按快捷键 Ctrl＋S。

（4）换名保存。选择"文件"选项卡中的"另存为"命令，在右侧选择"另存为"位置进行保存操作。

7. 数据的输入

（1）输入文本数据：选定单元格，直接由键盘输入，完成后按 Enter 键或单击编辑栏中的输入按钮。默认情况下，输入单元格的文本数据是左对齐的。在输入由数字组成的文本时，以英文状态的单引号"'"作为前导开始输入数字，或者以等号作为前导并将数据用双引号括起，系统会将输入的内容自动识别为文本数据，并以文本形式在单元格中保存和显示。例如键入'01087365288，或者键入＝"01087365288"，则 01087365288 是文本数据（注意，此处标点符号都是英文状态的）。

（2）输入数值数据：数值数据的输入与文本数据输入类似，但数值数据的默认对齐方式是右对齐。在一般情况下，如果输入的数据长度超过了 11 位，则以科学记数法（例如 1.23456E＋14）显示数据。

（3）输入日期和时间：日期和时间也是数据，具有特定格式，输入日期时，可用"/"或"-"分隔年、月、日部分，如 2014－9－18；输入时间时，可用"："分隔时、分、秒部分，如 11：23：30（注意，此处标点符号都为英文状态下的）。Excel 将把它们识别为日期或时间型数据。

（4）填充输入：对重复或有规律变化的数据的输入，可用数据的填充来实现。在当前单元格区域右下角有一个小方块称为填充柄，双击或拖动它可以自动填充数据，例如星期、月份、季度、等差数据等。

8. 数据编辑

（1）修改单元格内容：双击单元格，在单元格中直接输入新的内容；或单击单元格，输入内容，以新内容取代原有内容。

（2）插入单元格、行或列：选择插入位置，在"开始"选项卡的"单元格"组中单击"插入"下拉箭头，选择需要的插入方式，然后单击"确定"按钮。

（3）删除单元格、行或列：选定要删除的单元格或行或列，在"开始"选项卡的"单元格"组中单击"删除"下拉箭头，选择需要删除单元格、行或列。

（4）清除单元格数据：选定要清除的单元格区域，在"开始"选项卡的"编辑"组中，单击"清除"下拉按钮，有 6 个选项可供选择，分别为"全部清除""清除格式""清除内容""清除批注""清除超链接(不含格式)"和"删除超链接(含格式)"。全部清除:清除单元格中的格式、数据内容和批注。清除格式:只清除所选单元格中的格式。清除内容:只清除所选单元格中的数据内容。清除批注:只清除所选单元格中的批注。清除超链接(不含格式):只清除所选单元格中的超链接,不清除格式。删除超链接(含格式):删除所选单元格中的超链接及格式。

(5) 复制和移动单元格:选择需要移动的单元格,并将鼠标置于单元格的边缘上,当光标变成四向箭头形状时,拖动鼠标即可。复制单元格时,将鼠标置于单元格的边缘上,当光标变成四向箭头形状时,按住 Ctrl 键拖动鼠标即可。也可利用"开始"选项卡"剪贴板"组的"剪切"或"复制"以及"粘贴"按钮完成。

(6) 单元格与区域的选择:

① 单元格选取:单击要选择的单元格即可。

② 连续的单元格区域:首先按下鼠标左键选中需要选择的单元格区域中的第一个单元格,然后拖动鼠标;或按住 Shift 键,再单击要选区域右下角单元格。此时,该区域的背景色将以灰色显示。

③ 不连续的单元格区域:首先选择第一个单元格,然后按住 Ctrl 键逐一选择其他单元格。

④ 选择整行:将鼠标置于需要选择行的行号上,当光标变成向右的箭头时,单击即可。另外,选择一行后,按住 Ctrl 键依次选择其他行号,即可选择不连续的整行。

⑤ 选择整列:与选择行的方法大同小异,也是将鼠标置于需要选择的列的列标上,单击即可。

⑥ 选择整个工作表:直接单击工作表左上角行号与列标相交处的"全部选定"按钮,或者按住 Ctrl+A 组合键选择整个工作表。

9. 工作表的基本操作

(1) 选定工作表:

① 选定多个相邻的工作表:单击第一个工作表标签,然后按住 Shift 键并单击工作表中的最后一个工作表标签。

② 选定多个不相邻的工作表:按住 Ctrl 键并单击每一个要选定的工作表标签。

(2) 插入工作表:在"开始"选项卡的"单元格"组中单击"插入"按钮的下拉箭头,选择"插入工作表"命令。或选中工作表标签,右键单击,在弹出的快捷菜单中选择"插入…"并选择"工作表"。

(3) 删除工作表:选中要删除的工作表,在"开始"选项卡的"单元格"组中单击"删除"按钮的下拉箭头,选择"删除工作表"命令。或选中工作表标签,右键单击,在弹出的快捷菜单中选择"删除"命令。

(4) 重命名工作表:鼠标右键单击要重命名的工作表标签,在弹出的快捷菜单中选择"重命名"命令,或者双击工作表标签,输入新的名字后,按 Enter 键即可。

(5) 移动和复制工作表:

① 在同一个工作簿移动(或复制)工作表:单击(或按住 Ctrl 键+拖动)工作表标签并拖动至合适的位置后放开即可。

② 在不同工作簿移动(或复制)工作表:打开源工作簿和目标工作簿,单击源工作簿中要移动(或要复制)的工作表标签,使之成为当前工作表;在"开始"选项卡的"单元格"组中,单击"格式"下拉按钮,在"组织工作表"项中选择"移动或复制工作表"命令,弹出"移动或复制工作表"对话框,在对话框的"工作簿"栏中选中目标工作簿,在"下列选定工作表之前"栏中选定在目标工作簿中插入的位置。

10. 设置单元格格式

选定要格式化的单元格或单元格区域,选择"开始"选项卡的"对齐方式"组中的"对齐设置",在弹出的对话框中可对单元格内容的数字格式(如图 2.3)、对齐方式(如图 2.4)、字体(如图 2.5)、单元格边框(如图 2.6)、填充(如图 2.7),以及保护方式等格式进行定义。

图 2.3 设置单元格格式-数字格式

图 2.4 设置单元格格式-单元格对齐方式

图 2.5 设置单元格格式-单元格字体

图 2.6 设置单元格格式-单元格边框

图 2.7 设置单元格格式-单元格填充

图 2.8 行高列宽的设置

11. 设置列宽和行高

(1) 行高和列宽的精确调整:选中需要调整的行或列,在"开始"选项卡的"单元格"组中单击"格式"下拉箭头,选择相应的选项,如图 2.8 所示。

(2) 行高和列宽的鼠标调整:鼠标指向要调整的行高(或列宽)的行标(或列标)的分隔线上,这时鼠标指针会变成一个双向箭头的形状,拖曳分割线至适当的位置即可。

(3) 行高和列宽的自动调整:选定要调整的行,将鼠标移到要调整的行标号左下界,当鼠标指针呈一个双向箭头的形状时,双击即可;或者在"开始"选项卡的"单元格"组中单击"格式"下拉箭头,选择"自动调整行高"。列宽的自动调整类似。

12. 行列的隐藏和取消

选定要隐藏的行(或列),单击鼠标右键,在弹出的快捷菜单中选择"隐藏"命令。或者在"开始"选项卡的"单元格"组中单击"格式"下拉箭头,选择"隐藏和取消隐藏"进行相应设置,如图 2.9 所示。

13. 设置条件格式

使用条件格式,可以实现数据的突出显示,并且可以使用"数据条""色阶"和"图表集"3种内置的单元格图形效果样式。要设置条件格式,可以在"开始"选项卡的"样式"组中,单击

图 2.9　行列的隐藏和取消

图 2.10　设置条件格式

"条件格式"下拉列表框中的相应按钮,有突出显示单元格规则、项目选取规则、数据条、色阶、图表集等项,如图 2.10 所示。

14. 使用样式

样式是单元格的字体、字号、边框等属性特征的组合,这些属性特征的组合可以直接使用。可以在"开始"选项卡的"样式"组中,单击"单元格样式"下拉按钮选择,如图 2.11 所示。

图 2.11　单元格样式

15. 自动套用格式

Excel 套用表格格式功能提供了 60 种表格格式,使用它可以快速对表格进行格式化操作。套用表格格式的步骤如下:选中需格式化的单元格,在"开始"选项卡的"样式"组中,单击"套用表格格式"下拉列表框中的相应按钮,打开"套用表格格式"对话框,选择"表数据的来源",根据实际情况确定是否勾选"表包含标题"复选框,单击"确定"按钮,如图 2.12 所示。

图 2.12   自动套用格式

16. 使用模板

模板是含有特定格式的工作簿。在"文件"选项卡下,选择"新建"选项,在右侧双击选择所需的模板按钮,就可以成功用模板建立新工作簿。

17. 自动计算

自动计算是指无需公式就能自动计算一组数据的累加和、平均值、最大值、最小值等功能。运用自动计算可以计算相邻的数据区域,也可以计算不相邻的数据区域。如多区域自动求和的方法:选定存放结果的目标单元格,在"公式"选项卡的"函数库"组中,单击"自动求和"按钮,此时数据编辑区显示为 SUM,选定参与求和的各区域(选定区域会被动态的虚线框为主),按 Enter 键确认。

18. 公式的使用

在 Excel 中,公式是以等号(=)开始,由数值、单元格引用(地址)、函数或操作符组成的序列。利用公式可以根据已有的数值计算出一个新值,当公式中相应单元格的值改变时,由公式生成的值亦随之改变。公式的输入方法是:选定存放结果的单元格后,双击该单元格,输入公式,也可以在数据编辑区输入公式。公式中的单元格地址可以通过键盘输入,也可以通过直接单击该单元格获得。运算符包括算术运算符、关系运算符、文本运算符和引用运算符 4 种类型。

(1) 算术运算符:"+"(加)"-"(减)"*"(乘)"/"(除)"%"(百分比)"^"(指数)。

(2) 关系运算符:"="(等于)">"(大于)"<"(小于)">="(大于等于)"<="(小于等于)"<>"(不等于)。

(3) 文本运算符:"&"(连接)。

(4) 引用运算符:":"(冒号,区域运算符)"空格"(交集运算符)","(逗号,联合运算符),它们通常在函数表达式中表示运算区域。

19. 单元格引用

单元格引用就是指单元格的地址表示,而单元格地址通常根据它被复制到其他单元格时是否改变,分为相对引用、绝对引用和混合引用 3 种。

(1) 相对地址与引用:相对地址是指直接用列号和行号组成的单元格地址,相对引用是指把一个含有单元格地址的公式复制到一个新的位置,对应的单元格地址发生变化,即引用单元格的公式而不是单元格的数据。如在 G3 单元格中输入"=B3+C3+D3+E3+F3",将 G3 单元格复制到 G4 单元格后,G4 中的公式变为"=B4+C4+D4+E4+F4"。

(2) 绝对地址与引用:绝对地址是指在列号和行号的前面加上"$"字符而构成的单元格地址,绝对引用是指在把公式复制或填入到新单元格位置时,其中的单元格地址与数据保持不变。如$B$2,表示对单元格 B2 的绝对引用。

(3) 混合地址引用:混合地址是指在列号或行号之一采用绝对地址表示的单元格地址。如单元格地址"$A1"表示"列号"不发生变化,而"行"随着新的复制位置发生变化。而单元格地址"A$1"表示"行号"不发生变化,而"列"随着新的复制位置发生变化。

20. 函数的使用

函数是系统预先定义并按照特定的顺序、结构,来执行、分析数据处理等任务的功能模块。函数既可作为公式中的一个运算对象,也可作为完整的公式来使用。

Excel 函数的一般形式如下:

函数名(参数 1,参数 2,……)

其中:函数名指明要执行的运算,参数指定使用该函数所需的数据。参数可以是常量、单元格、区域、区域名、公式或其他函数。

(1) 函数输入

① 直接输入法。直接在单元格中输入公式。如:=MAX(A3:A5)。

② 插入函数法。在"公式"功能区的"函数库"分组中,单击"插入函数"按钮,弹出"插入函数"对话框,选择所需的函数即可,如图 2.13、图 2.14 所示。

图 2.13　选择函数

图 2.14　选择数据区域

（2）常用函数介绍

① SUM(number1,number2,……)：求指定参数所表示的一组数值之和。

② AVERAGE(number1,number2,……)：求指定参数所表示的一组数值的平均值。该函数只对参数的数值求平均数,如区域引用中包含了非数值的数据,则 AVERAGE 不把它包含在内。

③ IF(logical_test,value_if_true,value_if_false)：根据 logical_test 逻辑计算的真假值,返回不同结果,为"真"执行 value_if_true 操作,为"假"则执行 value_if_false 操作。IF 函数可嵌套 7 层,用 value_if_true 及 value_if_false 参数可以构造复杂的检测条件。

④ SUMIF(range,criteria,sum_range)：对符合指定条件的单元格区域内的数值进行求和,其中:range 表示的是条件判断的单元格区域;criteria 表示的是指定条件表达式;sum_range 表示的是需要计算的数值所在的单元格区域。

⑤ COUNT(value1,value2,……)：计算参数列表中数字的个数。

⑥ COUNTIF(range,criteria)：对区域中满足指定条件的单元格进行计数。其中:参数 range 表示需要计算满足条件的单元格区域;参数 criteria 表示计数的条件。

⑦ ROUND(number,num_digits)：将某个数字四舍五入为指定的位数。其中:参数 number 为将要进行四舍五入的数字,num_digits 是得到数字的小数点后的位数。需要说明的是:如果 num_digits>0,则舍入到指定的小数位,例如公式＝ROUND(3.1415926,2),其值为 3.14;如果 num_digits＝0,则舍入到整数,例如公式＝ROUND(3.1415926,0),其值为 3;如果 num_digits<0,则在小数点左侧（整数部分）进行舍入,例如公式＝ROUND(759.7852,−4),其值为 800。

⑧ MAX(number1,number2,……)：用于求参数列表中对应数字的最大值。

⑨ MIN(number1,number2,……)：用于求参数列表中对应数字的最小值。

⑩ MID(text, start_num, num_chars)：返回文本字符串中从指定位置开始的特定数目的字符,该数目由用户指定。例如,MID(A2,7,20)得到从 A2 单元格字符串第 7 个字符开始的 20 个字符。

（3）关于错误信息

在单元格中输入或编辑公式后，有时会出现错误信息。错误信息一般以"♯"开头，出现错误的原因有以下几种：

① ♯♯♯♯♯♯，宽度不够，显示不全。

② ♯DIV/O!，被除数为 0。

③ ♯NAME?，在公式中使用了 Excel 不能识别的文本。

④ ♯NULL，为两个并不相交的区域指定交叉点。

⑤ ♯NUM!，参数类型不正确。

⑥ ♯REF!，单元格引用无效。

⑦ ♯VALUE!，使用错误的参数或运算符。

21. 图表

（1）创建图表

选定要绘图的单元格区域，在"插入"选项卡的"图表"组中，单击"查看所有图表"选项，弹出"插入图表"对话框，在"所有图表"标签下，选择所需图表类型，单击确定键。分别在"图表工具"的"设计""格式"选项卡对图表属性进行设置，以确定图表标题、图例、数据表等。

（2）编辑和修改图表

图表创建完成之后，如果对工作表进行了修改，图表的信息也会随着变化。

① 修改图表类型

单击已建立好的图表区域，切换到"图表工具"的"设计"选项卡，单击"类型"组中的"更改图表类型"按钮，弹出对话框"更改图标类型"，选择"所有图标"标签，单击左侧窗口内的图表类型的选项，选定右侧窗口内该类型的子类型后，点击"确定"，工作表中的图表类型就改变了。

② 修改图表源数据

单击图表绘图区，切换到"图表工具"的"设计"选项卡，单击"数据"组中的"选择数据"按钮，弹出对话框"选择数据源"，单击"图表数据区域"右侧的单元格引用按钮 ↑ 选择新的数据源区域，然后再单击单元格引用按钮 ⬇ ，返回"选择数据源"对话框，此时在"图表数据区域"文本对话框中已经引用了新的数据源的地址，单击"确定"。若要删除工作表和图表中的数据，只要删除工作表中的数据，图表将自动删除。如果只要从图表中删除数据，则在图表上单击所要删除的图表系列，按 Delete 键即可。

③ 修改图表标题、坐标轴标题、图例、数据标签等

选择图表区域，利用"图表工具"的"设计"选项卡，单击"图标布局"组的"添加图表元素"按钮，通过"图表标题""坐标轴标题""图例""数据标签"等选项，作对应设置，如图 2.15 所示。

（3）修饰图表

选择图表区域，单击鼠标右键，在弹出的快捷菜单中选择"设置图表区域格式"命令，打开相应对话框，进行图表填充与线条、效果、大小

图 2.15　图表工具图表布局功能

与属性等设置,如图 2.16 所示。

图 2.16　设置图表区格式

22. 数据排序

(1) 用"排序"菜单命令排序

选择工作表数据区任意单元格,在"数据"选项卡的"排序和筛选"分组,单击"排序"按钮,弹出"排序"对话框,在"主关键字"栏中选择第一排序的列名,并在其后选择排序次序(升序或降序),点击"添加条件",在"次要关键字"栏中选择第二排序的列名,并在其后选择排序次序(升序或降序),勾选"数据包含标题",点击"确定",如图 2.17 所示。

图 2.17　排序对话框

(2) 利用工具栏升序按钮和降序按钮排序

单击某字段名,该字段为排序关键字,选择"数据"选项卡的"排序和筛选"分组中的两个排序工具按钮"升序"和"降序",单击排序工具按钮,数据表的记录按指定顺序排列。

(3) 对某区域排序

若只对数据表的部分记录进行排序,则先选定排序的区域,然后用上述方法进行排序。

23. 数据筛选

数据筛选是指从工作表包含的众多行中挑选出符合条件的一些行的操作方法,操作步骤如下:

① 在"开始"选项卡的"编辑"分组中,单击"排序和筛选"下拉按钮,选择"筛选"选项;或者在"数据"选项卡的"排序和筛选"分组,单击"筛选"按钮。此时,数据表的每个字段名旁边出现下拉按钮,单击下拉按钮,将出现下拉列表框。

② 单击与筛选条件有关的字段的下拉按钮,在出现的下拉列表中进行条件选择。

③ 如要取消筛选,在"开始"选项卡的"编辑"分组中,单击"排序和筛选"下拉按钮,选择"清除"选项即可取消筛选。或在"开始"选项卡的"编辑"分组中,单击"排序和筛选"下拉按钮,选择"筛选"选项同样可以取消筛选。另外,利用"数据"功能区的"排序和筛选"分组也可以实现相同的功能。

24. 数据分类汇总

分类汇总是对数据内容进行分析的一种方法。分类汇总只能应用于数据清单,数据清单的第一行必须要有列标题。在进行分类汇总前,必须根据分类汇总的数据类对数据清单进行排序。

（1）创建分类汇总

选择数据区域中的任意单元格,在"数据"选项卡的"分级显示"分组中,单击"分类汇总"命令,在弹出的"分类汇总"对话框中设置各种选项即可,如图 2.18 所示。

该对话框中主要包含下列几种选项:

① 分类字段:用来设置分类汇总的字段依据,包含数据区域中的所有字段。

② 汇总方式:用来设置汇总函数,包含求和、平均值、最大值等 11 种函数。

③ 选定汇总项:设置汇总数据列。

图 2.18 分类汇总对话框

④ 替换当前分类汇总:表示在进行多次汇总操作时,选中该复选框可以清除前一次的汇总结果,按照本次分类要求进行汇总显示。

⑤ 每组数据分页:选中该复选框,表示打印工作表时,将每一类分别打印。

⑥ 汇总结果显示在数据下方:选中该复选框,可以将分类汇总结果显示在本类最后一行(系统默认是放在本类的第一行)。

（2）删除分类汇总

如果要删除已经创建的分类汇总,可以通过执行"分类汇总"对话框中的"全部删除"命令来清除工作表中的分类汇总。

（3）隐藏分类汇总数据

在显示分类汇总结果的同时,分类汇总表的左侧会自动显示分级显示按钮,使用分级显示按钮可以显示或隐藏分类数据。单击工作表左边列表数的"－"号可以隐藏分类数据,此时"－"号变成"＋"号,单击"＋"号,即可将隐藏的数据记录信息显示出来。

25. 数据透视表

(1) 创建数据透视表

选择需要创建数据透视表的工作表数据区域,该数据区域要包含列标题。执行"插入"选项卡"表格"分组,选择"数据透视表"命令,即弹出"创建数据透视表"对话框,如图 2.19 所示。

对话框主要包含以下选项:

① 选择一个表或区域:选中该选项,表示可以在当前工作簿中创建数据透视表的数据。

② 使用外部数据:选中该选项后单击"选择连接"按钮,在弹出"现有链接"对话框中选择要链接的外部数据即可。

图 2.19　创建数据透视表对话框

③ 新工作表:选中该选项,表示可以将创建的数据透视表显示在新的工作表中。

④ 现有工作表:选中该选项,表示可以将创建的数据透视表显示在当前工作表指定位置中。

⑤ 在对话框单击"确定",即可在工作表插入数据透视表,并在窗口右侧自动弹出"数据透视表字段列表"任务窗格,在"选择要添加到报表的字段"列表框中选择需要添加的字段即可。

(2) 编辑数据透视表

创建数据透视表之后,为了适应分析数据,需要编辑数据透视表,其编辑内容主要包括更改数据的计算类型、设置样式、筛选数据等。

① 更改数据计算类型

在"数据透视表"字段列表任务窗格中的"数值"列表框中,单击数值类型选择"值字段设置"选项,在弹出的"值字段设置"对话框中的"计算类型"列表框中选择需要的计算类型即可。

② 设置数据透视表样式

Excel 2016 为用户提供了浅色、中等色、深色 3 种类型共 65 种表格样式选择,执行"设计"选项卡的"数据透视表样式"分组中选择一种样式即可。

③ 筛选数据

选择数据透视表,在"数据透视表"字段列表任务窗格中,将需要筛选数据的字段名称拖动到"报表筛选"列表框中,此时在数据透视表上方将显示筛选列标,用户可单击"筛选"按钮对数据进行筛选。

此外,用户还可以在"行标签""列标签"或"数值"列表框中单击需要筛选的字段名称后面的下三角按钮,在下拉列表中选择"移动到报表筛选"选项,也可以将该字段设置为可筛选的字段。

26. 工作表的页面设置

在需要打印工作表之前,应正确设置页面格式,这些设置可以通过"页面设置"对话框完成。在"页面布局"选项卡的"页面设置"分组中单击"页面设置"右侧下三角对话框启动器按钮,打开如图 2.20 所示的"页面设置"对话框。

① 设置页面。在"页面"选项卡内,可以选择横向或纵向打印,缩小或放大工作簿,或强制它适合于特定的页面大小以及起始页码等。

② 设置页边距。在"页边距"选项卡内,设置工作表上、下、左、右 4 个边界的大小,还可设置水平居中方式和垂直居中方式。

③ 设置页眉页脚。在"页眉页脚"选项卡内,可设置页眉和页脚,还可以通过任意勾选其中的复选框对页眉页脚的显示格式进行设置。

④ 设置工作表。在"工作表"选项卡内,可以对打印区域、打印标题、打印效果及打印顺序进行设置。

图 2.20 页面设置对话框

27. 工作表和工作簿的保护

保护工作表。用户可通过在"审阅"选项卡的"更改"分组中,选择"保护工作表"命令,在弹出的"保护工作表"对话框中选中所需保护的选项,并输入保护密码。

保护工作簿。可以通过为文件添加密码的方法,来保护工作簿文件。用户只需执行"文件"选项卡的"另存为"命令,在弹出的"另存为"对话框中单击"工具"下拉按钮,选择"常规选项",并输入打开权限与修改权限密码。

实验二　Excel 基本操作案例

一、实验目的

1. 掌握工作表的基本操作及工作表中数据的格式化操作。
2. 掌握公式和函数的计算。
3. 掌握数据的排序、筛选、分类汇总、数据透视表的建立与操作。
4. 掌握图表的制作方法。

二、实验内容与步骤

1. 打开素材文件夹中的"药品库存.xlsx"文件,按要求做如下操作。

(1) 在"药品库存"工作表中,在 A1 单元格输入表格标题"某医院药品表",标题在 A1: I1 区域居中显示。

【操作步骤】

在"药品库存"工作表中,选中第一行,单击【开始】选项卡→【单元格】功能组→"插入"→"插入工作表行",如图 2.21 所示,结果如图 2.22 所示。也可以右键单击行号,在弹出菜单中单击"插入"选项完成行的插入。列的插入操作与行操作类似。如需要删除行或列,则先选定待删除的行或列,单击【开始】选项卡→【单元格】功能组→"删除"→"删除工作表行"("删除工作表列")。也可用右键菜单进行删除。

图 2.21　插入工作表行

图 2.22 插入工作表行结果

选中 A1 单元格,在 A1 单元格中输入"某医院药品表"。选中 A1:I1 区域,单击右键,在弹出的快捷菜单中选择"设置单元格格式",如图 2.23 所示。弹出"设置单元格格式"对话框,选择"对齐"标签,设置"水平对齐"方式为"跨列居中",单击"确定",如图 2.24 所示。也可以"水平对齐"方式设置为"居中",同时勾选"文本控制"中的"合并单元格"。

(2)设置标题字体格式为华文仿宋、20 号、加粗、紫色。设置标题行行高为 30。

图 2.23 设置单元格格式

图 2.24　设置对齐方式

【操作步骤】

选中 A1 单元格,单击右键,在弹出的快捷菜单中选择"设置单元格格式",弹出"设置单元格格式"对话框,选择"字体"标签,分别设置字体为华文仿宋、字号为 20、字型为加粗、颜色为紫色,如图 2.25 所示,单击"确定"。

图 2.25　设置单元格格式-字体

选中标题行,单击右键,在弹出的快捷菜单中选择"行高",设置行高为 30,单击"确定",如图 2.26、图 2.27 所示。设置行高也可以通过【开始】选项卡→【单元格】功能组→"格式"→"行高"进行设置。列宽的设置同行高类似。

图 **2.26** 设置行高命令

图 **2.27** 行高设置

(3) 使用 Excel 的自动填充功能添加药品编码,从 00001 开始,前置 0 要保留。

【操作步骤】

方法一:选中 A3:A17 区域,单击右键,在弹出的快捷菜单中选择"设置单元格格式",弹出"设置单元格格式"对话框,选择"数字"标签,选中"文本",单击"确定",如图 2.28 所示。

图 **2.28** 设置单元格格式-数字

在 A3 单元格输入"00001",选中 A3 单元格,鼠标放到 A3 单元格右下角呈实心十字状,按住鼠标左键向下拖拽,直到 A17 单元格松开鼠标,完成药品编码的自动填充。

方法二:在 A3 单元格输入"'00001"(注意 0 前的引号一定是英文状态)。选中 A3 单元格,鼠标放到 A3 单元格右下角呈实心十字状,按住鼠标左键向下拖拽,直到 A17 单元格松开鼠标。

(4) 设置 A2:I17 区域单元格字体格式为颜色自动、楷体、10 号,水平居中对齐,细田字边框线,适合的列宽(自动调整列宽)。

【操作步骤】

选中 A2:I17 区域,单击右键,在弹出的快捷菜单中选择"设置单元格格式",弹出"设置单元格格式"对话框,选择"字体"标签,设置字体为楷体、字号为10、颜色自动;选择"对齐"标签,设置"水平对齐"居中;选择"边框"标签,设置"直线""样式""最细实线","预置"选中"外边框""内部";单击"确定",如图 2.29、图 2.30、图 2.31 所示。

图 2.29　设置单元格格式-对齐　　　　图 2.30　设置单元格格式-字体

图 2.31　设置单元格格式-边框

选中 A1：I1 区域所有列（选中 A 列，按住 Shift 键的同时，选择 I 列），单击【开始】选项卡→【单元格】功能组→"格式"→"自动调整列宽"，如图 2.32 所示。

（5）设置"单价""库存金额"区域单元格为货币格式，货币格式为"￥"，保留 2 位小数。使用公式求出各药品的库存金额（库存金额＝单价 ＊ 库存量），并填入相应单元格中。在 A18 单元格输入"合计"，A19 单元格输入"平均"，使用函数求出所有药品库存金额的合计及平均值，分别填入 I18 单元格及 I19 单元格。

【操作步骤】

选中 G3：G17 区域，按住 Ctrl 键的同时，选中 I3：I17 区域，单击右键，在弹出的快捷菜单中选择"设置单元格格式"，弹出"设置单元格格式"对话框，选择"数字"标签，选中"货币"，设置小数位数 2，设置货币符号"￥"，单击"确定"（如出现"＃＃＃＃＃＃"可以手动调整列宽），如图2.33所示。

图 2.32　自动调整列宽命令

图 2.33　设置单元格格式－数字

在 I3 单元格输入"=G3＊H3"，按回车确认。其余单元格中的公式可以利用"填充柄"复制 I3 单元格中的公式。单击 I3 单元格，鼠标移至 I3 单元格的右下角，当鼠标指针由空心"＋"字变为实心"＋"字时，按住左键拖动鼠标至 I17 单元格，松开左键，完成单元格填充。

选中 A18 单元格，输入"合计"；选中 A19 单元格，输入"平均"；选中 I18 单元格，输入"＝"，编辑栏左边的名称框变成函数框，在函数框中选择"SUM"，弹出"函数参数"对话框，在对话框中删除"Number1"框原有的数据，然后选择单元格区域 I3：I17，单击"确定"，如图 2.34 所示。

图 2.34　函数参数对话框

选中 I19 单元格，输入"＝"，编辑栏左边的名称框变成函数框，在函数框中选择"AVERAGE"，弹出"函数参数"对话框，在对话框中删除"Number1"框原有的数据，然后选择单元格区域 I3：I17，单击"确定"，如图 2.35 所示。

图 2.35　函数参数对话框

（6）在"单价"＞100 的单元格处添加批注，内容为"贵重药品"。

【操作步骤】

选中 G5 单元格，单击右键，在弹出的快捷菜单中选择"插入批注"，输入批注内容"贵重药品"，如图 2.36 所示。用相同的方法对 G15 单元格设置批注。

广州巨虹药业有限公司	¥2.54	¥16,542.00	42016.68
Bayer Schering Pharma AG	¥31.70	¥2,134.00	67647.8
菏泽步长制药有限公司	¥215.00	贵重药品	
昆明制药集团股份有限公司	¥24.80		
南宁市冠峰制药有限公司	¥3.67		
本院制剂	¥30.00	¥5,023.00	150690

图 2.36　插入批注

（7）把"单价"大于或等于 100 的单元格用红色、加粗显示，小于 10 的单元格用绿色、倾斜表示。

【操作步骤】

选中 G3：G17 区域，单击【开始】选项卡→【样式】功能组→"条件格式"→"突出显示单元格规则"→"其他规则"，打开"新建格式规则"对话框。"编辑规则说明"设置单元格值大于或等于 100，如图 2.37 所示。点击"格式"，弹出"设置单元格格式"对话框，设置字型加粗，颜色红色，如图 2.38 所示。单击"确定"，返回"新建格式规则"对话框，单击"确定"。用类似的方法设置小于 10 的单元格的格式。

图 2.37　新建格式规则

图 2.38　设置单元格格式－字体

（8）在 F20 单元格，输入"最高药品单价"；在 G20 单元格中，使用函数求出最高药品单价；在 F21 单元格，输入"单价大于 100 元的药品个数"，在 G21 单元格，利用函数统计单价大于 100 元的药品个数。在 C20：C23 单元格，分别输入"片剂药品数""针剂药品数"

"本院制剂药品数""胶囊剂药品数",在 D20:D23 单元格,利用函数统计出每种药品类型的药品个数。

【操作步骤】

选中 F20 单元格,输入"最高药品单价";选中 G20 单元格,单击【公式】选项卡→【函数库】功能组→"插入函数",弹出"插入函数"对话框,选择类别"常用函数"中的"MAX",如图 2.39 所示,单击"确定",弹出"函数参数"对话框,在对话框中删除"Number1"框原有的数据,然后选择单元格区域 G3:G17,单击"确定",如图 2.40 所示。

图 2.39 插入函数

图 2.40 函数参数对话框

选中 F21 单元格,输入"单价大于 100 元的药品个数";选中 G21 单元格,单击【公式】选项卡→【函数库】功能组→"插入函数",弹出"插入函数"对话框,搜索函数" COUNTIF",如图 2.41 所示。单击"转到",选择"COUNTIF"函数,单击"确定",如图 2.42 所示。弹出"函数参数"对话框,在"Range"框选择单元格区域 G3:G17,在"Criteria"框输入">100",单击"确定",如图 2.43 所示。

图 2.41 插入函数

图 2.42 插入函数

图 2.43　函数参数对话框

依次选中 C20、C21、C22、C23 单元格，分别输入"片剂药品数""针剂药品数""本院制剂药品数""胶囊剂药品数"。选中 D20 单元格，单击【公式】选项卡→【函数库】功能组→"插入函数"，弹出"插入函数"对话框。选择类别"常用函数"中的"COUNTIF"，如图 2.44 所示，单击"确定"。弹出"函数参数"对话框，在"Range"框选择单元格区域 C3：C17，在"Criteria"框输入"片剂"，如图 2.45 所示，单击"确定"。用类似的方法计算其余药品类型的个数。通过鼠标适当调整列宽，使得输入的文字全部显示出来。

图 2.44　插入函数　　　　　　　　**图 2.45　函数参数对话框**

（9）利用"药品库存"工作表中的药品名称和单价，创建一个簇状柱形图，标题为"药品单价比较"，位于图表上方，图例项为"单价"，在右侧显示，设置图表区填充颜色为"渐变""线性对角——左下到右上"。图表放在"柱形图"新工作表中。

【操作步骤】

选中 B2：B17 区域，按住 Ctrl 键的同时，选择 G2：G17 区域，单击【插入】选项卡→【图表】功能组，单击"图表"右侧下三角对话框启动按钮，打开"插入图表"对话框，选择"所有图表"标签，选择"柱形图"→"簇状柱形图"，如图 2.46 所示。单击"确定"，如图 2.47 所示。

图 2.46　插入图表

图 2.47　插入图表结果

选中图表标题"单价"，改为"药品单价比较"，如图 2.48 所示。

图 2.48　图表更改标题

选中图表,单击【图表设计】选项卡→【图表布局】功能组→"添加图表元素"→"图例"→"右侧",如图 2.49 所示。

图 2.49　设置图例

选中图表,右键单击,在弹出的快捷菜单中选择"设置图表区域格式",弹出"设置图表区格式"对话框,如图 2.50 所示。选择"填充"→"渐变填充","类型"为"线性","方向"为"线性对角——左下到右上",如图 2.51 所示。

选中图表,右键单击,在弹出的快捷菜单中选择"移动图表",弹出"移动图表"对话框。"选择放置图表的位置"→"新工作表",在右侧输入"柱形图"。单击"确定",如图2.52所示。

图2.50　设置图表区格式(a)　　　图2.51　设置图表区格式(b)

图2.52　移动图表对话框

(10) 利用"药品库存"中的药品名称和库存金额,创建一个三维饼图,标题为"药品库存金额",位于图表上方;图例项为"药品名称",在底部显示,添加数据标签(放置于最佳位置);图表区填充效果为深色木质纹理。将图表放置于一个"库存金额饼图"工作表中。

【操作步骤】

选中B2:B17区域,按住Ctrl键的同时,选择I2:I17区域,单击【插入】选项卡→【图表】功能组,单击"图表"右侧下三角对话框启动按钮,打开"插入图表"对话框,选择"所有图表"标签,选择"饼图"→"三维饼图",如图2.53所示。单击"确定",如图2.54所示。

图 2.53　插入图表

图 2.54　插入图表结果

选中图表标题"库存金额",改为"药品库存金额"。

选中图表,单击【图表设计】选项卡→【图表布局】功能组→"添加图表元素"→"图例"→"底部"。

选中图表,单击【图表设计】选项卡→【图表布局】功能组→"添加图表元素"→"数据标签"→"最佳匹配",如图 2.55 所示。

图 2.55　设置数据标签　　　　　　　图 2.56　设置图表区格式对话框

选中图表，右键单击，在弹出的快捷菜单中选择"设置图表区域格式"，弹出"设置图表区格式"对话框。选择"填充"→"图片或纹理填充"，"纹理""深色木质"，如图 2.56 所示。图表效果如图 2.57 所示。

药品类型	规格	单位	生产商	单价	库存量	库存金额
片剂	0.25g					
片剂	30mg					
针剂	10m					
针剂	2m					
片剂	100					
本院制剂	100					
针剂	1g					
本院制剂	20					
片剂	150mg					
本院制剂	80					
片剂	20mgX					
本院制剂	100ml	瓶	本院制剂	¥9.50	8752	¥83,144.00
针剂	1ml	瓶	北京双鹭药业股份有限公司	¥128.00	34	¥4,352.00

图 2.57　设置纹理填充效果

选中图表,右键单击,在弹出的快捷菜单中选择"移动图表",弹出"移动图表"对话框。"选择放置图表的位置"→"新工作表",在右侧输入"库存金额饼图",单击"确定"。

(11) 复制"药品库存"工作表到"折线图"工作表中,将"折线图"工作表置于"柱形图"工作表前。使用"折线图"工作表中的药品名称、库存量绘制药品库存量折线图,标题为"药品库存量图",图例为库存量,靠右显示,横坐标标题为"药品名称",纵坐标标题为"库存量"(竖排)。显示数据标签值,位置在数据点下方。设置图表样式"样式3"。

【操作步骤】

选定"药品库存"工作表,在表名上右键单击,在快捷菜单中选定"移动或复制",在出现的"移动或复制工作表"对话框中,"下列选定工作表之前"选择"柱形图",勾选"建立副本"复选框,使其中有"√"标记出现,如图 2.58 所示。单击"确定"按钮,完成复制。也可以选定"药品库存"工作表,按住 Ctrl 键,在"药品库存"工作表名称上按下鼠标左键,拖动鼠标到"柱形图"工作表之前,松开鼠标左键完成工作表的复制。

在工作表"药品库存 2"的名称上双击,呈反白显示时,输入"折线图",按 Enter 键完成重命名。也可以右键单击工作表"药品库存 2"的表名,在弹出的菜单中选择"重命名",名称呈反白显示时,输入"折线图",按 Enter 键完成重命名。

在工作表"折线图"中,选中 B2:B17 区域,按住 Ctrl 键的同时,选择 H2:H17 区域,单击【插入】选项卡→【图表】功能组,单击"图表"右侧下三角对话框启动按钮,打开"插入图表"对话框,选择"所有图表"标签,选择"折线图",单击"确定"。

选中图表标题"库存量",改为"药品库存量图"。

选中图表,单击【图表设计】选项卡→【图表布局】功能组→"添加图表元素"→"图例"→"右侧"。

图 2.58　移动或复制工作表对话框

图 2.59　设置坐标轴标题

选中图表,单击【图表设计】选项卡→【图表布局】功能组→"添加图表元素"→"坐标轴标题"→"主要横坐标轴",如图 2.59 所示。将图表的横坐标标题改为"药品名称",如图 2.60 所示。

图 2.60　更改横坐标轴标题

选中图表,单击【图表设计】选项卡→【图表布局】功能组→"添加图表元素"→"坐标轴标题"→"主要纵坐标轴"。将图表的纵坐标标题改为"库存量",如图 2.61 所示。

图 2.61　更改纵坐标轴标题

选中纵坐标标题,右键单击,在快捷菜单中选定"设置坐标轴标题格式",如图 2.62 所示。在弹出的"设置坐标轴标题格式"对话框,"标题选项"→"大小与属性"→"对齐方式"→"文字方向"选择"竖排",如图 2.63 所示。

图 2.62 选择设置坐标轴标题格式   图 2.63 设置坐标轴标题格式

选中图表,单击【图表设计】选项卡→【图表布局】功能组→"添加图表元素"→"数据标签"→"下方",如图 2.64 所示。

选中图表,单击【图表设计】选项卡→【图表样式】功能组,选择"样式 3",如图 2.65 所示。

图 2.64 设置数据标签

图 2.65　设置图表样式

(12) 在"挂号表"中用函数在相应的单元格中填写挂号单价,规则为职称是"主任医师"挂号单价为"7.5",其余为 5.5;用公式求出挂号金额(挂号金额＝挂号人次＊挂号费单价),填入相应单元格。

【操作步骤】

选中 F3 单元格,单击【公式】选项卡→【函数库】功能组→"插入函数",弹出"插入函数"对话框。选择类别"常用函数"中的"IF",如图 2.66 所示,单击"确定"。弹出"函数参数"对话框。在"Logic_test"框选择单元格 C3,输入"＝主任医师"。在"Value_if_true"框输入"7.5",在"Value_if_false"框输入"5.5",如图 2.67 所示,单击"确定"。其余单元格中的公式可以利用"填充柄"复制 F3 单元格中的公式。

图 2.66　插入函数　　　　　　　　图 2.67　函数参数对话框

选中 G3 单元格,在 G3 单元格输入"＝D3 ＊ F3",按 Enter 键确认。其余单元格中的公式可以利用"填充柄"复制 G3 单元格中的公式。

(13) 复制"挂号表",将复制的副本重命名为"排序表",在排序表中按职称升序(主任＞

副主任＞主治＞住院）、挂号人次降序排列数据。

【操作步骤】

选定"挂号表"工作表，在表名上右键单击，在快捷菜单中选定"移动或复制"，在出现的"移动或复制工作表"对话框中，勾选"建立副本"复选框，单击"确定"按钮，完成复制。在工作表"挂号表2"的名称上双击，呈反白显示时，输入"排序表"，按 Enter 键完成重命名。

单击"排序"工作表，将光标定位在数据清单区域。单击【开始】选项卡→【编辑】功能组中的"排序和筛选"下拉按钮，选择"自定义排序"命令。在弹出的排序对话框中，在"主要关键字"下拉列表框中选择"职称"，在"次序"下拉列表框中，选择"自定义序列"命令，如图 2.68所示，单击"确定"。在弹出的"自定义序列"对话框中，"输入序列"处依次输入"主任医师"、换行输入"副主任医师"、换行输入"主治医师"、换行输入"住院医师"，如图 2.69 所示，单击"添加"，单击"确定"。

图 2.68 排序对话框

图 2.69 自定义序列

单击"添加条件"按钮，在"次要关键字"下拉列表框中选择"挂号人次"，在"次序"下拉列表框中，选择"降序"命令，如图 2.70 所示。单击该对话框上的"确定"按钮，完成排序。排序后的结果如图 2.71 所示。

图 2.70　排序对话框

医生姓名	科室	职称	挂号人次	挂号名次	挂号费单价（元）	挂号金额（元）
金素萍	妇科	主任医师	13596		¥7.50	¥101,970.00
黄慧	急诊科	主任医师	11027		¥7.50	¥82,702.50
付学珍	儿科	副主任医师	22716		¥5.50	¥124,938.00
宋健波	外科	副主任医师	20187		¥5.50	¥111,028.50
陈明	内科	副主任医师	12516		¥5.50	¥68,838.00
谢亚平	外科	副主任医师	12481		¥5.50	¥68,645.50
孙淑华	口腔科	副主任医师	8931		¥5.50	¥49,120.50
刘天平	妇科	主治医师	13421		¥5.50	¥73,815.50
张小华	儿科	主治医师	11560		¥5.50	¥63,580.00
龚建洪	妇科	主治医师	11544		¥5.50	¥63,492.00
赵庆林	口腔科	主治医师	10771		¥5.50	¥59,240.50
李俊峰	内科	主治医师	9164		¥5.50	¥50,402.00
杨燕	儿科	住院医师	21950		¥5.50	¥120,725.00
蒋诗雅	内科	住院医师	21506		¥5.50	¥118,283.00
王先乐	内科	住院医师	11897		¥5.50	¥65,433.50
马军	外科	住院医师	11653		¥5.50	¥64,091.50
赵亮	儿科	住院医师	10612		¥5.50	¥58,366.00
王泉	急诊科	住院医师	9827		¥5.50	¥54,048.50
高丹丹	急诊科	住院医师	7761		¥5.50	¥42,685.50

图 2.71　排序结果

（14）复制"挂号表"，将复制的副本重命名为"筛选表"，在"筛选表"中自动筛选出挂号金额前 5 位的记录。

【操作步骤】

选定"挂号表"工作表，在表名上右键单击，在快捷菜单中选定"移动或复制"，在出现的"移动或复制工作表"对话框中，勾选"建立副本"复选框，单击"确定"按钮，完成复制。在工作表"挂号表 2"的名称上双击，呈反白显示时，输入"筛选表"，按 Enter 键完成重命名。

单击"筛选表"工作表，将光标定位在数据清单区域。单击【开始】选项卡→【编辑】功能组中的"排序和筛选"下拉按钮，选择"筛选"命令。在每一列的列标题（字段名）右边会出现一个下拉按钮，单击"挂号金额"字段右侧的下拉按钮，在弹出的菜单中选择"数字筛选"→"前 10 项"，如图 2.72 所示。在弹出的"自动筛选前 10 个"对话框中，设置中间的列表框为 5，如图 2.73 所示，单击"确定"。筛选过后的结果如图 2.74 所示。

图 2.72 数字筛选命令

图 2.73 自动筛选前 10 个

医生姓名	科室	职称	挂号人次	挂号名次	挂号费单价（	挂号金额（元）
付学珍	儿科	副主任医师	22716		¥5.50	¥124,938.00
金素萍	妇科	主任医师	13596		¥7.50	¥101,970.00
杨燕	儿科	住院医师	21950		¥5.50	¥120,725.00
蒋诗雅	内科	住院医师	21506		¥5.50	¥118,283.00
宋健波	外科	副主任医师	20187		¥5.50	¥111,028.50

筛选表 排序表 折线图 柱形图 库存金额饼图 药品库存 挂号表 Sheet1

图 2.74 自动筛选结果

注意：如果要取消自动筛选的结果，可以再次单击选择【开始】选项卡→【编辑】功能组中的"排序和筛选"下拉按钮，单击"筛选"命令。

（15）复制"挂号表"，将复制的副本重命名为"分类汇总"表中，对各科室的挂号人次和挂号金额进行分类汇总，汇总方式为求和。

【操作步骤】

复制"挂号表"，将复制的副本重命名为"分类汇总"表，步骤同上题。

注意：在进行分类汇总之前，必须先对汇总项进行排序。

首先对"分类汇总"工作表中按"科室"进行排序。选中数据清单，单击【数据】选项卡→【排序和筛选】功能组中的"排序"按钮，弹出"排序"对话框，选择"主要关键字""科室"，如图2.75所示，单击"确定"。

图 2.75　排序对话框

单击【数据】选项卡→【分级显示】功能组→"分类汇总"按钮，弹出"分类汇总"对话框，在"分类字段"下拉列表框中选择"科室"（第一步当中排序的关键字），在"汇总方式"下拉列表框中选择"求和"选项，在"选定汇总项"下拉列表框中确保只有"挂号人次"和"挂号金额"复选框被选中。选中"汇总结果显示在数据下方"选项，取消勾选"替换当前分类汇总"，如图2.76所示，单击"确定"。

分类汇总得到的结果如图2.77所示。在工作表的左侧用竖线连接的上面标有数字1、2、3的小按钮，是控制明细数据行的显示及隐藏的，它们称为分级显示符号，单击它们即可显示或隐藏明细数据行。

注意：如果要取消分类汇总的结果，只需要在如图2.76所示的对话框中单击"全部删除"按钮即可。

图 2.76　分类汇总对话框

图 2.77　分类汇总结果

　　（16）复制"挂号表"，将复制的副本重命名为"数据透视表"中，在此工作表中创建数据透视表对各科室每个职称的挂号人次及挂号金额进行汇总统计。数据透视表自 A25 单元格存放。

【操作步骤】

　　复制"挂号表"，将复制的副本重命名为"数据透视表"，步骤同上题。

　　单击"数据透视表"数据清单中的任一单元格，单击【插入】选项卡→【表格】功能组，点击"数据透视表"命令。在弹出的"创建数据透视表"对话框中，"选择一个表或区域"选择数据源区域，此处可用默认选择区域。"选择数据表存放的位置"选择现有工作表，鼠标选择 A25 单元格，如图 2.78 所示，单击"确定"。在弹出"数据透视表字段"对话框中，右键单击该列表中的"科室"字段，从快捷菜单中选择"添加到行标签"，如图 2.79 所示。用同样的方法将"挂号人次""挂号金额"分别"添加到值"。字段设置情况如图 2.80 所示，统计结果如图 2.81 所示。

图 2.78　创建数据透视表

图 2.79　选择要添加到报表的字段

图 2.80　数据透视表字段

	A	B	C	D	E	F	G	H	I	J	K	L	M	N	O	P	Q	R	S	T	U
22																					
23																					
24																					
25	行标签 ▼	求和项:挂号人次	求和项:挂号金额（元）																		
26	儿科	66838	367609																		
27	妇科	38561	239277.5																		
28	急诊科	28615	179436.5																		
29	口腔科	19702	108361																		
30	内科	55083	302956.5																		
31	外科	44321	243765.5																		
32	总计	253120	1441406																		
33																					
34																					
35																					
36																					
37																					
38																					
39																					
40																					
41																					
42																					
43																					
44																					

数据透视表　分类汇总　筛选表　排序表　折线图　柱形图　库存金额饼图　药品库存　挂号表　Sheet1

图 2.81　数据透视表结果

（17）在"挂号表"中使用 RANK.EQ 函数,对挂号表中的每个医师挂号人次情况进行统计,并将排名结果保存到表中的"挂号名次"列当中。

【操作步骤】

在"挂号表"中,选中 E3 单元格,单击【公式】选项卡→【函数库】功能组→"插入函数",弹出"插入函数"对话框。选择类别"全部函数"中的"RANK.EQ",单击"确定"。弹出"函数参数"对话框,在"Number"框选择单元格区域 D3,在"Ref"框选择 ＄D ＄3：＄D ＄21 区域,如图 2.82 所示,单击"确定"。其余单元格中的公式可以利用"填充柄"复制 E3 单元格中的函数(这里 Ref 框引用的区域使用了混合地址,想一想为什么? 如果不加"＄"符号会怎样?)。

图 2.82　函数参数对话框

（18）保存工作表。

【操作步骤】

单击"文件"选项卡，选择"另存为"命令，在弹出的"另存为"对话框中，选择保存位置，输入文件名"药品库存完成表"，保存类型选择"Excel 工作簿"，单击"保存"按钮，如图 2.83 所示。

图 2.83 "另存为"对话框

综合练习

一、打开"Excel 练习 1 素材.xlsx"文件，完成下列操作并保存。

1. 将"Excel 练习 1 素材.xlsx"文件另存为"Excel 练习 1.xlsx"（".xlsx"为扩展名），除特殊指定外后续操作均基于此文件。

2. 在"医疗机构"工作表中，设置第一行标题文字"历年医疗卫生机构数"在 A1:N1 单元格区域合并后居中，字体格式为黑体、18 号字、标准色-红色。

3. 在"医院"工作表中，筛选出 2015 年及以后的数据。

4. 将"医院"工作表中筛选出的数据复制到"医疗机构"工作表对应的单元格中。

5. 参考样张，将"医疗机构"工作表中 E2:E12、J2:J12、N2:N12 单元格区域背景色设置为标准色-黄色。

6. 在"医疗机构"工作表的 E3:E12、J3:J12、N3:N12 单元格中，利用公式分别计算历年医院数、基层机构数、专业机构数（医院数为其左侧 3 项之和，基层机构数为其左侧 4 项之和,专业机构数为其左侧 3 项之和)。

7. 在"医疗机构"工作表中,设置 A2:N12 单元格区域外框线为最粗实线,内框线为最细实线,线条颜色均为标准色-蓝色。

8. 参考样张,在"医疗机构"工作表中,根据"医院数",生成一张"簇状柱形图",嵌入当前工作表中,要求水平(分类)轴标签为年份数据,图表上方标题为"医院数统计",采用图表样式 3,无图例,显示数据标签、并放置在轴内侧。

9. 保存"Excel 练习 1.xlsx"工作簿文件。

图 2.84　Excel 练习 1 样张

二、打开"Excel 练习 2 素材.xlsx"文件,完成下列操作并保存。

1. 将"Excel 练习 2 素材.xlsx"文件另存为"Excel 练习 2.xlsx"(".xlsx"为扩展名),除特殊指定外后续操作均基于此文件。

2. 复制"罚球数据"工作表,并将新复制的工作表重命名为"罚球数据汇总"。

3. 在"罚球数据汇总"工作表中,筛选出快船队的记录。

4. 在"罚球数据"工作表中,设置第一行标题文字"常规赛罚球统计"在 A1:F1 单元格区域合并后居中,字体格式为宋体、18 号字、标准色-红色。

5. 在"罚球榜"工作表的 D 列中,基于"罚球数据"工作表中的数据,利用公式计算各球员的罚球命中率,结果以带 2 位小数的百分比格式显示(罚球命中率＝罚球命中数/罚球出手数)。

6. 在"罚球榜"工作表中,按罚球命中率进行降序排序,并在 A 列中填充排名,序号格式如 1,2,3……

7. 在"罚球榜"工作表中,为 D4:D53 单元格区域填充标准色-黄色。

8. 参考样张,在"罚球榜"工作表中,根据排名前 5 的数据,生成一张"簇状柱形图",嵌入当前工作表中,图表上方标题为"常规赛罚球命中率",无图例。

9. 保存"Excel 练习 2.xlsx"工作簿文件。

图 2.85　Excel 练习 2 样张

三、打开"Excel 练习 3 素材.xlsx"文件,完成下列操作并保存。

1. 将"Excel 练习 3 素材.xlsx"文件另存为"Excel 练习 3.xlsx"(".xlsx"为扩展名),除特殊指定外后续操作均基于此文件。

2. 在"招生数"工作表中,设置第一行标题文字"医学专业招生数"在 B1:F1 单元格区域合并后居中,字体格式为黑体、18 号字、标准色-绿色。

3. 在"招生数"工作表中,设置 D4:D20、F4:F20 单元格区域的背景色为标准色-黄色。

4. 在"招生数"工作表中,隐藏 2013 年前的数据。

5. 在"在校生数"工作表的 E4:E20 和 H4:H20 单元格中,利用公式分别计算两类学校历年医学专业占比(医学专业占比=医学专业/在校生总数),结果以带 2 位小数的百分比格式显示。

6. 在"在校生数"工作表的 F21、G21 单元格中,利用函数计算对应列的合计值。

7. 在"在校生数"工作表中,设置 B4:H21 单元格区域外框线为双线、标准色-蓝色。

8. 参考样张,在"招生数"工作表中,根据两类学校"医学专业"人数,生成一张"折线图",嵌入当前工作表中,要求水平(分类)轴标签为年份数据,图表上方标题为"医学专业招生数",显示图例,图例位于图表底部,图例项分别为"普通高等学校"和"中等职业学校"。

9. 保存"Excel 练习 3.xlsx"工作簿文件。

图 2.86　Excel 练习 3 样张

四、打开"Excel 练习 4 素材.xlsx"文件,完成下列操作并保存。

1. 将"Excel 练习 4 素材.xlsx"文件另存为"Excel 练习 4.xlsx"("·xlsx"为扩展名),除特殊指定外后续操作均基于此文件。

2. 在"晚八点"工作表中,设置第一行标题文字"青春影院观影人数统计"在 A1:G1 单元格区域合并后居中,字体格式为方正舒体、22 号、双下划线、标准色-深蓝。

3. 在"晚八点"工作表中,利用填充序列填写 A4:A33 单元格,数据形如"6 月 1 日、6 月 2 日……6 月 30 日"。

4. 在"晚六点"工作表中,删除 G 列、H 列数据。

5. 在"晚六点"工作表中,利用条件格式,将每个厅观影人数小于 100 的单元格设置为浅红色填充。

6. 在"晚八点"工作表的 B34:F34 单元格中,利用函数分别计算一号厅至五号厅的最少观影人数(提示:用 MIN 函数求最小值)。

7. 在"晚八点"工作表的 G4:G33 单元格中,利用公式计算每天的上座率(上座率=(五个厅的观众人数之和/五个厅座位总数),结果以带 2 位小数的百分比格式显示(要求使用绝对地址引用五个厅座位总数)。

8. 参考样张,在"晚八点"工作表中,生成一张反映 6 月 21 日至 6 月 30 日上座率的"带数据标记的折线图",嵌入当前工作表中,图表上方标题为"6 月下旬上座率分析",无图例,添加线性趋势线。

9. 保存"Excel 练习 4.xlsx"工作簿文件。

图 2.87　Excel 练习 4 样张

第2章 Excel 2016 基础应用

五、打开"Excel 练习 5 素材.xlsx"文件,完成下列操作并保存。

1. 将"Excel 练习 5 素材.xlsx"文件另存为"Excel 练习 5.xlsx"(".xlsx"为扩展名),除特殊指定外后续操作均基于此文件。

2. 将"Sheet1"工作表改名为"蔬菜价格",并设置第一行标题文字"11 月份蔬菜价格"在A1:G1 单元格区域合并后居中,字体格式为隶书、24 号字、标准色-绿色。

3. 在"蔬菜价格"工作表 F 列中,利用公式计算各种蔬菜的环比涨幅,结果以带 2 位小数的百分比格式显示(环比=(本月价格-上月价格)/上月价格)。

4. 在"蔬菜价格"工作表 G 列中,利用公式计算各种蔬菜的同比涨幅,结果以带 2 位小数的百分比格式显示(同比=(本月价格-去年同期价格)/去年同期价格)。

5. 在"蔬菜价格"工作表中,先按同比进行降序排序,接着在 A 列中填充序号,序号格式形如 1,2,3……

6. 将"蔬菜价格"工作表 A3:G3 单元格背景色设置为标准色-黄色。

7. 在"蔬菜价格"工作表中,设置表格区域 A3:G12 外框线为标准色-深蓝色最粗单线、内框线为标准色-深红色最细单线。

8. 参考样张,在"蔬菜价格"工作表中,根据同比涨幅前三名的数据,生成一张"簇状条形图",数据区域严格参照样张(不包含列标题),添加图表上方标题为"同比涨幅前三的蔬菜",无图例,显示数据标签、并放置在数据标签外。

9. 保存"Excel 练习 5.xlsx"工作簿文件。

图 2.88 Excel 练习 5 样张

【微信扫码】
参考答案 & 相关资源

第3章

PowerPoint 2016 基础应用

实验一　**PowerPoint 基本操作**

一、实验目的

1. 掌握 PowerPoint 的启动、创建和保存演示文稿等基本操作。
2. 掌握母版、主题、页眉页脚、背景的设置方法。
3. 掌握版式、占位符、文本、对象及其编辑的方法。
4. 掌握文本框、表格、艺术字、图片、SmartArt 图形及其设置方法。
5. 掌握幻灯片切换、动画设计、超链接和动作按钮的使用方法。
6. 掌握演示文稿的放映方式。

二、实验内容与步骤

1. PowerPoint 的启动、新建空白演示文稿

在 Windows 任务栏上，单击"开始"→"所有程序"→"PowerPoint 2016"程序项（或者双击桌面 Microsoft PowerPoint 2016 图标），显示 PowerPoint 2016 启动界面，选择"新建"→"空白演示文稿"，显示如图 3.1 所示的 PowerPoint 2016 设计界面，默认文件名"演示文稿1.pptx"。

2. PowerPoint 2016 的窗口组成

PowerPoint 2016 窗口组成与其他 Microsoft Office 2016 组件类似，由标题栏、菜单栏、功能区、状态栏、幻灯片编辑区、幻灯片或大纲窗格、备注窗格、视图功能切换按钮等组成，如图 3.1 所示。

在标题栏左侧是"快速启动工具栏",单击右侧向下箭头按钮,用户可自定义工具栏中显示哪些按钮。标题栏的右侧是 PowerPoint 窗口控制按钮栏,从左至右依次是"功能区显示选项""最小化""最大化"(或"还原")和"关闭"按钮。

图 3.1 PowerPoint 2016 设计界面

3. 保存演示文稿

用户在 PowerPoint 窗口编辑了演示文稿中的文档后,可以通过如下方法执行保存操作。

方法一:单击标题栏左上角"快速访问工具栏"→"保存"按钮,若是第一次保存,会出现"另存为"界面,如图 3.2 所示。单击"浏览"按钮,在弹出的"另存为"对话框(如图 3.3 所示)中选择要保存文件的位置。在"文件名"处输入要保存文件的名字,保存类型默认为"PowerPoint 演示文稿(* .pptx)",单击"保存"按钮,完成保存。

图 3.2 "另存为"界面

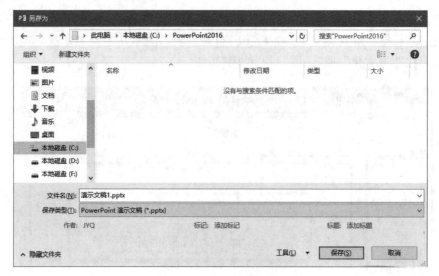

图 3.3 "另存为"对话框

方法二:选择"文件"下拉菜单中的"保存"或者"另存为"选项,也会出现图 3.2 所示的"另存为"界面,按方法一操作,可以实现对已经存在的演示文稿原名保存或者按新的位置和新的名称进行保存。

4. 打开演示文稿

对于已经保存的演示文稿,若要编辑或放映,首先需要打开它,方法有以下几种。

方法一:双击要打开的演示文稿文件(.pptx 格式)。

方法二:打开 PowerPoint 2016,在"文件"选项卡→"打开"→选择最近编辑过的 PPT 文档,也可以选择"浏览",在弹出的"打开"对话框中选择要打开的文件。

5. 编辑幻灯片中的基本信息

(1) 向幻灯片中添加文本

单击想要输入文本的占位符(虚线表示的框),如图 3.4 所示,出现闪动的插入光标后,直接输入文本内容即可。

如果需要在其他位置输入文本,需要在"开始"选项卡→"绘图"功能组→下拉菜单→"基本形状"→"文本框",选择横排或者竖排文本框,如图 3.5 所示,将指针移动到合适位置,按鼠标左键拖拽出大小合适的文本框,然后在该文本框中输入所需要的信息。

图 3.4 编辑文本占位符

图 3.5 插入文本框

（2）插入、移动与删除文本

插入文本：单击插入位置，输入要插入的文本。新文本将插入当前插入点的位置。

移动（复制）文本：选中文本按下 Ctrl+C 键复制（Ctrl+X 移动），鼠标选中目标位置按下 Ctrl+V 键粘贴。

删除文本：用鼠标选中要删除的文本，按下键盘上的 Delete 键，即可删除文本。

（3）移动（复制）占位符或者文本框

选择要移动（复制）文本框中的文字，此时文本框四周会出现 8 个控制点，将指针移动到边框上，当指针成十字箭头时（按住 Ctrl 键为复制）将之拖拽到目标位置。

6．设置文字格式

通过"开始"选项卡中提供的工具，如图 3.6 所示，进行基本字体格式设置，或者通过单击"字体"功能组右下角的按钮，弹出如图 3.7 对话框，通过其中"字体"或"字符间距"选项卡中提供的功能进行设置。

图 3.6　开始选项卡字体和段落组

图 3.7　字体设置对话框　　　　　　图 3.8　段落设置对话框

7．设置段落格式

如图 3.6 所示，幻灯片中段落格式设置可以通过"开始"选项卡→"段落"功能组提供的一些常用段落设置工具，进行基本段落格式设置。如项目符号与编号、对齐方式、行距调整等。若需要更多的段落格式设置，可单击"段落"功能组右下角的按钮，弹出如图 3.8 所示段落对话框，通过其中"缩进和间距"及"中文版式"选项卡提供的功能进行设置。

8．添加、删除、复制和移动幻灯片

（1）添加新幻灯片

如图 3.9 所示，在"开始"选项卡→"幻灯片"功能组中→"新建幻灯片"或者"版式"下拉

图 3.9 "幻灯片"功能组

列表选项。幻灯片版式代表了幻灯片的布局，虚线框为占位符，各种文字和对象必须放入占位符中才能显示，文字也可以放在文本框中。

（2）删除、移动和复制幻灯片

在大纲窗格，右键单击需要删除、移动或者复制的幻灯片，出现如图 3.10 所示快捷菜单，选择相应操作即可。其中移动幻灯片只需要鼠标按住相应的幻灯片拖动即可。对应操作还可以在幻灯片版式视图操作，我们将在后面论述。

图 3.10 大纲窗格右键菜单

图 3.11 视图选项卡

9. 演示文稿的视图

PowerPoint 2016 提供多种不同显示演示文稿的方式，这些显示演示文稿的不同方式称为视图。切换视图的方法有两种，一种是打开"视图"选项卡，如图 3.11 所示，从"演示文稿视图"功能组中选择所需视图；另一种是通过窗口右下角的 3 个视图按钮 进行不同视图的切换。

（1）普通视图和大纲视图

幻灯片普通视图（如图 3.12 所示）和大纲视图（如图 3.13 所示）包含 3 种窗格：大纲窗格、幻灯片窗格和备注窗格。在大纲窗格中，可以组织和构架演示文稿的大纲，调整幻灯片的层次和顺序。

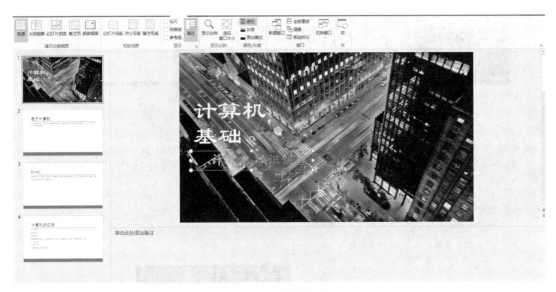

图 3.12　普通视图

在幻灯片窗格中,可以查看每张幻灯片中的文本外观并编辑幻灯片内容。在备注窗格中,可以添加演讲的备注。大纲视图的区别是在大纲窗格可以看到完整的文本内容层级,如图 3.13 所示。

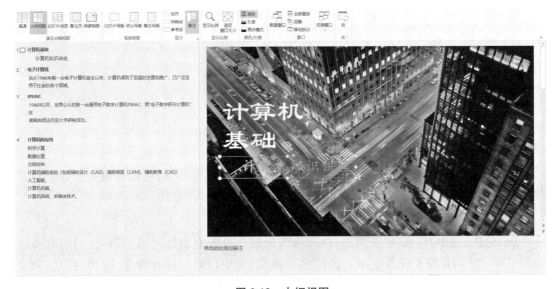

图 3.13　大纲视图

（2）幻灯片浏览视图

在幻灯片浏览视图下,按幻灯片序号的顺序显示演示文稿中全部幻灯片缩略图,可以复制、删除幻灯片,调整幻灯片顺序,但不能对单个幻灯片的内容进行编辑、修改,如图 3.14 所示。

图 3.14　幻灯片浏览视图

（3）备注页视图

此视图模式用来创建、编辑和显示演示者对每一张幻灯片的备注，如图 3.15 所示。

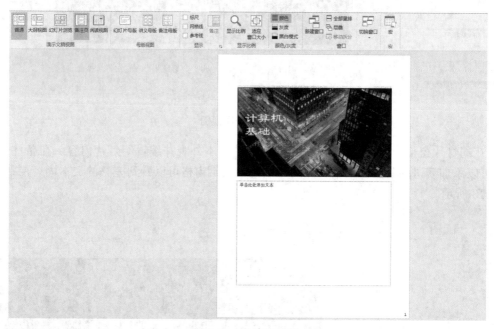

图 3.15　备注页视图

（4）阅读视图

阅读视图用来动态播放演示文稿的全部幻灯片。在此视图下，可以查看每一张幻灯片的播放效果。要切换幻灯片，可以直接单击屏幕，也可以按 Enter 键。

10. 演示文稿的母版

PowerPoint 中有一类特殊的幻灯片，称为母版。母版有幻灯片母版、讲义母版和备注母版三种。它们存储了有关演示文稿的主要信息，其中包括幻灯片背景、字体、颜色、效果等。一个演示文稿中至少包含有一个幻灯片母版。使用母版视图的优点在于，用户可以通过幻灯片母版、讲义母版和备注母版对与演示文稿关联的每个幻灯片、讲义和备注页的样式进行全局更改。

（1）幻灯片母版

单击"视图"选项卡→"母版视图"→"幻灯片母版"按钮，进入如图 3.16 所示的幻灯片母版视图。单击"幻灯片母版"选项卡功能区最右侧的"关闭母版视图"按钮，可以返回原视图状态。

图 3.16　幻灯片母版

注意： 大纲窗格中第一个最大的称为母版，是统领其下方所有版式的，它的设置会影响下面所有版式。

（2）讲义母版

单击"视图"选项卡→"母版视图"→"讲义母版"按钮，可进入如图 3.17 所示的幻灯片讲义母版视图。视图中显示了每页讲义中排列幻灯片的数量及排列方式，还包括页眉、页脚、页码和日期的显示位置。

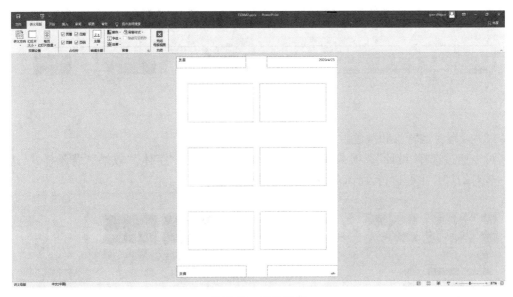

图 3.17　讲义母版

进入讲义母版后，可在"讲义母版"选项卡中设置打印页面、讲义打印方向、幻灯片排列方向、每页包含的幻灯片数量以及是否使用页眉、页脚、页码和日期。单击"讲义母版"选项卡功能区最右侧"关闭母版视图"按钮,可返回原视图状态。

(3) 备注母版

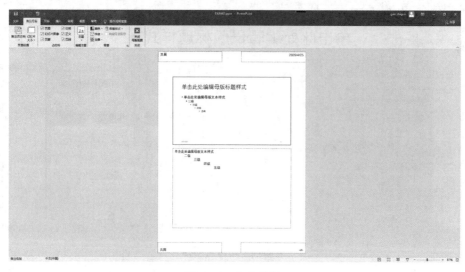

图 3.18　备注母版

单击"视图"选项卡→"母版视图"→"备注母版"按钮,可进入如图 3.18 所示的备注母版视图。在备注母版视图下,用户可完成页面设置、占位符格式设置等任务。单击选项卡功能区最右侧的"关闭母版视图"按钮,可返回原视图状态。

11. 设置主题、幻灯片主题背景和颜色方案、背景颜色和背景图片

(1) 设置主题

选择"设计"选项卡→"主题"功能组,如图 3.19 所示,可以为幻灯片选择相应的主题。

图 3.19　主题

(2) 设置主题背景和颜色方案

可以通过选择"设计"选项卡→"变体"功能组,对"颜色""字体""效果""背景样式"进行进一步对幻灯片主题进行设计,如图 3.20、3.21 所示。

图 3.20　变体

（c）颜色 （b）字体

（c）效果

（d）背景样式

图 3.21 颜色、字体、效果和背景样式

还可以通过选择"设计"选项卡→"变体"功能组→"颜色"→"自定义颜色"，设置自定义的主题颜色，如图 3.22 所示。选择"设计"选项卡→"变体"功能组→"字体"→"自定义字体"，设置自定义的主题字体，如图 3.23 所示。

也可以在如图 3.20 所示，通过选择"设计"选项卡→"自定义"功能组对幻灯片大小和背景格式等进行设计。

图 3.22　新建主题颜色

图 3.23　新建主题字体

(3) 设置背景颜色和背景图片

幻灯片背景颜色和图片是幻灯片中一个重要组成部分,改变幻灯片背景可以使幻灯片整体面貌发生变化,较大程度地改善放映效果。可以在 PowerPoint 2016 中对幻灯片背景的颜色、过渡、纹理、图案及背景图像等进行设置。

通过选择"设计"选项卡→"自定义"功能组→"设置背景格式",如图 3.24 所示,出现"设置背景格式"任务窗格(PowerPoint 2016 开始,很多对于对象的设置都出现在了此类任务窗格当中,设置功能相当的丰富)。

选择"设置背景格式"任务窗格→"填充"功能组,拥有"纯色填充""渐变填充""图片和纹理填充""图案填充"四大类填充方式,每种填充方式还可以进一步调整设置细节,选择丰富。

图 3.24　设置背景格式

进一步设置:"填充"→"纯色填充"→"颜色",如图 3.25 所示,选择对应颜色。

图 3.25 颜色设置对话框

设置完成后,返回"设置背景格式"任务窗格,选择是否"应用到全部"。

进一步设置:"填充"→"渐变填充"进行更加丰富的设置。请同学们自己探索学习。

12. 在幻灯片使用对象

对象包括:表格、图像、插图(图形)、文本、符号、媒体等。其中文本并非我们输入的标题文字或者内容文字,而是以文字表现的图形和域。

当一张新幻灯片以某种版式被添加到当前演示文稿中,可以看到多数版式中都包含有如图 3.26 所示的"对象占位符"区,单击其中某个图标,系统将引导用户将希望的对象插入当前幻灯片中。

图 3.26 版式中的对象占位符区

当然也可以通过如图 3.27 所示,插入选项卡来插入各种对象。

图 3.27 插入选项卡

(1) 形状

选择"插入"选项卡→"插图"功能组→"形状"命令,选择如图 3.28 所示各种形状,选中被插入的形状,展开"绘图工具"选项卡,如图 3.29 所示。

图 3.28　插入图形

图 3.29　绘图工具 选项卡

（2）图片

选择"插入"选项卡→"图像"功能组→"图片"命令,可以插入本地或者网络上的图片,选中被插入的图片,可以展开"图片工具"选项卡,如图 3.30 所示。

注意:"图片工具"选项卡和"绘图工具"选项卡是有细微差别的,最明显的是"图片工具"选项卡中有裁剪选项,而"绘图工具"选项卡中没有。

图 3.30　图片工具 选项卡

　　图片插入成功以后,可以通过右键单击图片→"设置图片格式",对图像格式进行设置,和"设置背景格式"任务窗格类似,如图 3.31 所示。在"设置图片格式"任务窗格可以进行"填充""效果""大小与属性""图片"四大类效果设置。

　　进一步的设置,请同学们自行探索学习。

图 3.31　图片格式设置对话框

（3）表格

　　选择"插入"选项卡→"表格"功能组→"表格"命令,选择所需大小的表格,如图 3.32所示。

图 3.32　插入表格

选中被插入的表格,可以展开"表格工具"→"设计"和"布局"选项卡,如图 3.33、图 3.34 所示。

图 3.33　表格工具 设计选项卡

图 3.34　表格工具 布局选项卡

详细设置请同学们自行探索学习。

(4) 艺术字

选择"插入"选项卡→"文本"功能组→"艺术字"命令,如图 3.35 所示,出现艺术字样式选择。

图 3.35　艺术字样式

选择相应的样式,出现如图 3.36 所示的文本框,用户可以在该文本框中输入文本。选中艺术字,出现如图 3.29 所示的"绘图工具"选项卡。

注意:常见的如"形状""SmartArt""文本框"和"艺术字"等都属于图形,所以选中它们打开的是"绘图工具"选项卡。

图 3.36　艺术字编辑文本框

（5）SmartArt 图形

SmartArt 图形是一个包含了列表、流程图、组织结构图或关系图等在内的图形模板,使用 SmartArt 图形可简化创建复杂形状的过程。

单击"插入"选项卡→"插图"功能组→"SmartArt"命令,显示如图 3.37 所示的"选择 SmartArt 图形"对话框。该对话框分为三个部分,左侧列出了 SmartArt 图形的分类,中间部分列出了每个分类中具体的 SmartArt 图形样式,右侧显示出了该样式的默认效果、名称及应用范围说明。效果图中的横线表示用户可以输入文本的位置。

图 3.37　SmartArt 图形

根据需要选择插入相应的 SmartArt 图形后会出现"SmartArt 工具"选项卡,该选项卡包括"设计"和"格式"两个子选项卡,如图 3.38 和图 3.39 所示。

图 3.38　SmartArt 工具 设计选项卡

图 3.39　SmartArt 工具 格式选项卡

13. 幻灯片放映设计

（1）为幻灯片中的对象设置动画效果

如图 3.40 所示,动画可使演示文稿更具动态效果,最常见的动画效果包括"进入""强调""退出"和"动作路径"四种类型。

图 3.40　动画类型选择

在普通视图下选择需要设置动画的幻灯片，然后选择"动画"选项卡→"高级动画"功能组→"动画窗格"按钮，右侧打开"动画窗格"，如图 3.41 和图 3.42 所示。

图 3.41　高级动画

图 3.42　动画窗格

如果需要给已经存在动画的对象添加更多的动画效果,则可以在幻灯片中选择需要设置动画的对象,如图 3.43 所示,进入"动画选项卡"→"高级动画"组→"添加动画"下拉菜单,其中有"进入""强调""退出"等选项组,每个选项组均有相应动画类型命令。

图 3.43　添加动画

单个对象和群组对象的动画还可以进一步设置效果,选择如图 3.42 所示的"动画窗格"中某个对象的动画进度条,在"动画"→"效果选项"下拉菜单下可以设置更为细致的动画表现形式。

当我们需要在动画之间设置相互启动的先后关系时,我们可以选择"高级动画"→"触发"下拉菜单,在弹出的下拉菜单中选择动画开始的特殊条件。

当我们需要设置动画演示的时间以及和相邻发生动画之间的时间关系时,可以选择"计时"功能组中,动画的"开始""持续时间"和"延迟"时间。

如果需要更多的设置,可在"动画窗格"单击某动画对象最右边的向下箭头按钮,如图3.44所示,在弹出的快捷菜单中进行选择。

图 3.44　动画设置快捷菜单

特别值得一提的是,当我们需要复制一个对象的动画到另一个或者一组对象上,可以使用"高级动画"→"动画刷"。

（2）幻灯片切换

幻灯片的切换效果是指一张幻灯片在屏幕上显示的方式,可以是一组幻灯片设置一种切换方式,也可以是每张幻灯片设置不同的切换方式。

如图 3.45 所示,选中需要设置切换效果的幻灯片,选择"切换"选项卡→"切换到此幻灯片"组中单击选择某切换效果后,可将该切换效果应用于当前选定的幻灯片。如果想把效果应用于全部幻灯片,只要选择"计时"组中的"应用到全部"。

图 3.45　"切换"选项卡

（3）幻灯片放映

如图 3.46 所示,选择"幻灯片放映"选项卡→"设置",弹出"设置放映方式"对话框,如图 3.47 所示。用户可以根据需求进行相应的设置。制作好的演示文稿,通过放映幻灯片操作,可将演示文稿展示给观众。幻灯片放映方式主要是设置放映类型、放映范围和切换方式等。

图 3.46　"幻灯片放映"选项卡

图 3.47　设置放映方式

实验二　**PowerPoint 基本操作案例**

一、实验目的

1. 掌握创建和保存演示文稿等基本操作。
2. 掌握幻灯片母版、幻灯片主题、页眉页脚、幻灯片背景的设置方法。
3. 掌握版式、占位符、文本、对象及其编辑的方法。
4. 掌握文本框、表格、艺术字、图片、SmartArt 图形等的设置方法。
5. 掌握设置幻灯片切换、动画设计、超链接和动作按钮的使用方法。
6. 掌握演示文稿的放映方式。

二、实验内容

1. 打开文件

打开素材文件夹下的"PPT 素材.pptx"，另存为"PPT.pptx"（操作步骤略）。

2. 设置主题

【操作步骤】

如图 3.48 所示，选择【设计】选项卡→【主题】功能组→"回顾"主题，如图 3.49 所示。

图 3.48　主题

图 3.49　应用"回顾"主题的幻灯片

3. 新建幻灯片和选择版式

【操作步骤】

选中左侧大纲窗格第 1 张幻灯片,单击【开始】选项卡→【幻灯片】功能组→"新建幻灯片",选择"标题和内容"版式创建新的幻灯片,如图 3.50 所示。

图 3.50　新建"标题和内容"版式的幻灯片

4. 向幻灯片文本占位符中添加文本

【操作步骤】

在新建的幻灯片中输入标题"电子计算机",输入内容"自从 1946 年第一台电子计算机诞生以来,计算机得到了迅猛的发展和推广,已广泛应用于社会的各个领域。",如图 3.51 所示。

然后在第 1 张标题幻灯片的标题区中输入"计算机基础",在副标题区中输入"计算机知识讲座"。

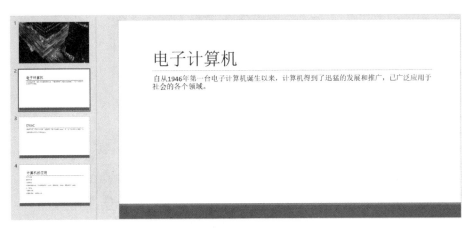

图 **3.51**　幻灯片

5. 设置文字格式

【操作步骤】

选中标题幻灯片中的标题文字,设置其字体为"隶书、80 号字,标准-黄色"。接着,选中标题幻灯片中的副标题文字,设置其字体为"楷体、44 号字,标准-浅蓝色"。

6. 设置段落格式

【操作步骤】

选中标题幻灯片的副标题,在段落对话框中,将"缩进和间距"→"缩进"→"文本之前"的值设置为"2 厘米",并调整副标题文本框宽度使文字在一行显示,如图 3.52 所示。

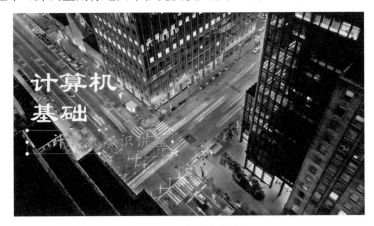

图 **3.52**　标题幻灯片

7. 插入和设置图片

【操作步骤】

选择第 2 张幻灯片，单击【插入】选项卡→【图像】功能组→"图片"命令，在弹出的"插入图片"对话框中选择素材文件夹下的"MAC.jpeg"图片，如图 3.53 所示。

图 3.53 插入图片 对话框

右键单击插入的图片，在弹出的快捷菜单中选择"设置图片格式"，即打开"设置图片格式"任务窗格（如图 3.54（a）所示）→"大小与属性"任务窗格（如图 3.54（b）所示），不勾选"锁定纵横比"，然后调整图片大小为高 10 厘米，宽 14 厘米，调整图片位置使其不遮挡文字。

（a）　　　　　　　　（b）

图 3.54 设置图片格式

8. 插入和设置艺术字

【操作步骤】

选中第 2 张幻灯片中的标题文字,单击【开始】选项卡→【段落】功能组→"居中"按钮,使标题文本居中显示。然后单击"绘图工具/格式"选项卡→"艺术字样式"功能组,选择"渐变填充-褐色,着色 4,轮廓-着色 4"样式,如图 3.55(a)所示。接着,单击"艺术字样式"功能组→"文本效果"下拉箭头→"发光"→"发光变体"→"橙色,11pt 发光,个性色 2",如图 3.55(b)所示,设置艺术字文发光效果。

（a） （b）

图 3.55 艺术字样式

9. 插入和设置 SmartArt 图形

【操作步骤】

选择第 4 张幻灯片,单击【开始】选项卡→【幻灯片】功能组→"新建幻灯片",选择"标题和内容"版式,出现第 5 张幻灯片。然后剪切第 4 张幻灯片中的文字"计算机辅助系统包括辅助设计(CAD)、辅助制造(CAM)、辅助教育(CAE)",粘贴在第 5 张幻灯片的内容占位符中,编辑文字如图 3.56 所示,选择下三行"辅助设计、辅助制造、辅助教育",单击【开始】选项卡→【段落】功能组→"提高列表级别"按钮。

图 3.56 列表的级别

选择全部四行文字后单击右键,在弹出的快捷菜单中选择"转换为 SmartArt 图形"→"其他 SmartArt 图形"→"层次结构"→"水平层次结构",得到如图 3.57 所示效果。

图 3.57　SmartArt 图形

选中 SmartArt 图形,单击【SmartArt 工具/设计】选项卡→【SmartArt 样式】功能组→"更改颜色"→"彩色-个性色",如图 3.58(a)所示,再单击【SmartArt 工具/设计】选项卡→【SmartArt 样式】功能组→"其他"按钮,在"文档的最佳匹配对象"窗口中选择"三维"→"粉末"样式,如图 3.58(b)所示。

　　　　　　　　（a）　　　　　　　　　　　　　　　　　　　　（b）

图 3.58　SmartArt 样式

选中图形"辅助教育"后单击右键,在弹出的快捷菜单中选择"添加形状"→"在下方添加形状",重复两次,在新增的两个形状中分别输入"计算机辅助教学 CAI"和"计算机管理教学 CMI",如图 3.59 所示。

图 3.59 增加形状

10. 插入形状、插入文本框

【操作步骤】

选择第 5 张幻灯片，单击【插入】选项卡→【插图】功能组→"形状"→"星与旗帜"→"前凸带形"，如图 3.60 所示，用鼠标拖动黄色圆点调节形状，输入文字"计算机辅助系统"。

图 3.60 插入形状

选中图形，单击【绘图工具/格式】选项卡→【形状样式】功能组→"主题样式"→"细微效果-褐色，强调颜色 3"，如图 3.61 所示。

接着，选中图形内文字，字体设为"华文行楷、28 号字"，颜色设为"黑色，文字 1"。

图 3.61 主题样式

选择第4张幻灯片，重新编辑文字。在段落"过程控制"后添加"计算机辅助系统"段落。单击【插入】选项卡→【插图】功能组→"形状"→"基本形状"→"左大括号"，插入一个"大括号"，并拖动鼠标指针调整大小，设置"大括号"形状轮廓线为黑色。接着插入文本框，输入"辅助设计、辅助制造、辅助教育"，调整位置，如图3.62所示。

图3.62　插入形状、文本框

11. 插入表格

【操作步骤】

选择第3张幻灯片，单击【开始】选项卡→【幻灯片】功能组→"新建幻灯片"，选择"仅标题"版式，新增幻灯片4。

打开素材文件夹中"表格.docx"，复制表格到新建的第4张幻灯片空白处，"使用目标样式"粘贴，同样的方式复制 Word 中的标题到标题占位符。

调整表格，设置字体大小为24，单击【表格工具/设计】选项卡→【表格样式】功能组→"中等色"→"中度样式1-强调1"，如图3.63所示。

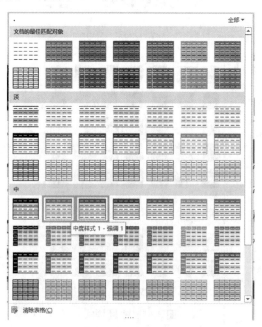

图3.63　表格样式

编辑完成,得到如图 3.64 所示的幻灯片。

计算机的发展阶段

时代	年份	器件	运算速度
一	1946-1957年	电子管	几千次/秒
二	1958-1964年	晶体管	几十万次/秒
三	1965-1971年	小规模集成电路	几十万到几百万/秒
四	1972年至今	大规模及超大规模集成电路	几百万次到亿万次/秒

图 3.64　幻灯片 4

12. 插入背景音乐,换页连续播放

【操作步骤】

选择第 1 张标题幻灯片,单击【插入】选项卡→【媒体】功能组→"PC 上的音频命令",弹出插入音频对话框,插入素材文件夹中的"芒果.mp3",幻灯片上会出现小喇叭图标,如图 3.65所示。

单击小喇叭声音图标,其下面显示声音播放器,供试听声音使用。

图 3.65　音频

选中喇叭,在【音频工具/播放】选项卡→【音频选项】功能组中勾选"跨幻灯片播放"选项,如图 3.66 所示,可在幻灯片换页时连续播放。

图 3.66　"音频工具/播放"选项卡

13. 演示文稿的母版

【操作步骤】

单击【视图】选项卡→"母版视图"→"幻灯片母版",屏幕显示幻灯片母版的设置窗口,同

时打开"幻灯片母版"选项卡,如图 3.67 所示。

图 3.67 幻灯片母版选项卡和幻灯片母版设置窗

在左侧大纲窗格中选择"标题与内容"版式,编辑母版标题样式:单击【开始】选项卡→【字体】功能组右下方的小箭头,打开"字体"对话框,将字体设置为"隶书、深蓝色、44 号字",如图 3.68 所示。

图 3.68 设置母版标题字体

对文稿中使用的"仅标题"版式的标题区也做如上相同设置(否则该版式的标题样式不会随着上面的设置更改)。

选择第 1 张幻灯片母版,单击【插入】选项卡→【文本】功能组→"页眉和页脚"命令,弹出如图 3.69 所示"页眉和页脚"对话框,勾选"日期和时间"复选框、单击选择"自动更新"、勾选"幻灯片编号"和"标题幻灯片中不显示"复选框、勾选"页脚"并输入需要显示的文本内容"计算机基础",最后单击"全部应用"按钮。

图 3.69 设置幻灯片母版的页眉和页脚

注意: 由于更新和使用习惯不同,日期的格式默认有时候是不一样的,需要选择一下,某些情况下有些日期格式分中文和英文不同。

接下来,单击【插入】选项卡→【插图】功能组→"形状"→"星与旗帜"→"五角星",如图 3.70(a)所示,然后用鼠标在幻灯片母版左上角拖拽插入一个"五角星"形状。

选中"五角星"形状,单击【绘图工具/格式】选项卡→【形状样式】功能组→"形状填充"下拉窗口,如图 3.70(b)所示,选择"标准色-红色"。

(a) (b)

图 3.70 插入形状和形状样式

选择标题幻灯片版式，选择【幻灯片母版】选项卡→【背景】功能组，不勾选"隐藏背景图形"复选框，如图 3.71 所示。

图 3.71 "幻灯片母版"选项卡

单击"关闭母版视图"按钮返回普通视图，设置后的效果如图 3.72 所示。

图 3.72 设置完成后的幻灯片

单击【视图】选项卡→"母版视图"→"讲义母版"按钮，显示"讲义母版"选项卡。

单击【讲义母版】选项卡→"页面设置"→"幻灯片大小"→"自定义幻灯片大小"命令，打开"幻灯片大小"对话框，如图 3.73（a）所示，设置"幻灯片大小"为"全屏显示（4：3）"，单击"确定"后，弹出如图 3.73（b）对话框，选择"确保适合"按钮。

（a）　　　　　　　　　　　　　　　　　（b）

图 3.73 设置"幻灯片大小"

继续选择【讲义母版】选项卡→【页面设置】功能组→"每页幻灯片数量"→"4 张幻灯片",如图 3.74 所示。

单击"关闭母版视图"按钮,回到普通视图后,调整一下各个幻灯片中图形、图像和表格等的位置。

注意:当幻灯片大小发生变化后原来的内容位置也会发生变化,一定要再次检查调整文本编辑和图形位置,确保演示文稿的美观。

14. 设置幻灯片主题背景和颜色方案

【操作步骤】

选择第 3 张幻灯片,同样打开"设置背景格式"任务窗格,在其中选择"填充"→"图片或纹理填充"→"纹理"→"蓝色面巾纸",如图 3.75(a)所示。

图 3.74　每页幻灯片数量

接着,选择【设计】选项卡→【变体】功能组→"其他"按钮→"颜色"→"红橙色",然后单击"全部应用"按钮。

接着,选择第 6 张幻灯片,单击【设计】选项卡→【变体】功能组→"其他"按钮→"背景样式"→"设置背景格式",打开"设置背景格式"任务窗格,在其中选择"填充"→"纯色填充","颜色"→"标准色浅绿","透明度"→"50％",如图 3.75(b)所示。

最后,选择【设计】选项卡→【变体】功能组→"其他"按钮→"颜色"→"自定义颜色",弹出"新建主题颜色"对话框,如图 3.76 所示,设置"超链接"为"标准色-蓝色",单击"保存"按钮。

（a）纹理填充　　（b）纯色填充

图 3.75　设置背景格式-填充

图 3.76　设置"超链接"颜色

完成效果如图 3.77 所示。

图 3.77　设置背景格式效果

15. 设置幻灯片动画效果

【操作步骤】

在第 2 张幻灯片中,选择内容文本占位符边框线,单击【动画】选项卡→【动画】功能组→"飞入"按钮,单击"效果选项"→"自左上部",如图 3.78 所示。

图 3.78　动画设计

接着选择图片,单击【动画】选项卡→【高级动画】功能组→"添加动画"下拉窗口,选择"进入"→"轮子";"效果选项"→"2 轮幅图案",如图 3.79 所示。

图 3.79　高级动画设计

选择第 5 张幻灯片,选中内容占位符边框线,单击【动画】选项卡→【动画】功能组→"浮入"按钮。

单击【高级动画】功能组→"动画窗格"按钮,打开"动画窗格",在第 1 动画条幅的左下角点击下拉箭头展开所有子动画。

按下 Shift 键,先后选中左大括号和其右边的文本框,选择【动画】选项卡→【动画】功能组→"浮入",此时动画窗格如图 3.80(a)所示。

在动画窗格选择这两个动画,用鼠标选中后按住拖动到上一个动画组中计算机辅助系统下方。右键单击"左大括号"→"从上一项开始",动画窗格如图 3.80(b)所示。

图 3.80　动画窗格

16. 设置幻灯片切换、超链接和动作按钮

【操作步骤】

切换到幻灯片浏览视图,选择任意幻灯片,单击【切换】选项卡→【切换到此幻灯片】功能组→"推进",选择【计时】功能组→"全部应用"命令,如图 3.81 所示。

图 3.81　切换选项卡

双击第 5 张幻灯片返回普通视图,选择"计算机辅助系统"文字,单击【插入】选项卡→【链接】功能组→"超链接"命令(也可以在文字上单击右键,在弹出的快捷菜单上选择"超链接"),弹出"插入超链接"对话框,如图 3.82 所示,选择"本文档中的位置"→"幻灯片 6"。

图 3.82　插入超链接

选择第 6 张幻灯片,单击【插入】选项卡→【形状】功能组→"动作按钮"→"动作按钮:第一张",在幻灯片左下角插入该动作按钮,同时弹出"动作设置"对话框,如图 3.83 所示,默认选择"超链接到"→"第一张幻灯片",单击"确定"按钮。

图 3.83　动作设置

17. 设置幻灯片放映

【操作步骤】

单击【幻灯片放映】选项卡→【设置】功能组→"设置幻灯片放映"命令,弹出的"设置放映方式"对话框,选择"放映类型"为"演讲者放映(全屏幕)","换片方式"为"手动",如图 3.84 所示,单击"确定"按钮。

图 3.84　设置幻灯片放映

18. 排练计时

【操作步骤】

单击【幻灯片放映】选项卡→【设置】功能组→"排练计时",进入放映排练状态,屏幕左上角显示录制工具栏。按照需要的放映时间间隔单击鼠标播放幻灯片。如果当前幻灯片在屏幕上停留的时间能够满足放映要求,单击鼠标左键或工具栏上的"下一项"按钮。如果对当前幻灯片录制的放映时间不满意,可以单击工具栏上的"重复"按钮,将当前幻灯片的计时器清零,重新设置当前幻灯片的放映时间(可根据需要自行安排播放过程)。

当放映完最后一张幻灯片后,屏幕显示系统询问"是否保留新的幻灯片排练时间",单击"是"按钮,接受录制的排练时间,系统切换到幻灯片浏览视图显示每张幻灯片所录制的排练时间。

保存并关闭"PPT.pptx"演示文稿。

综合练习

一、打开"PPT 练习 1 素材.pptx"文件，完成下列操作并保存。

图 3.85　PPT 练习 1 样张

1. 将"PPT 练习 1 素材.pptx"文件另存为"PPT 练习 1.pptx"（".pptx"为扩展名），除特殊指定外后续操作均基于此文件。

2. 使用"环保"主题修饰全文，放映方式为"观众自行浏览"。

3. 在第一张幻灯片前插入版式为"两栏内容"的新幻灯片，标题为"北京市出租车每月每车支出情况"。

4. 将素材文件中的图片文件 ppt1.jpg 插入到第一张幻灯片左侧内容区，将第二张幻灯片第二段文本移到第一张幻灯片右侧内容区，图片动画设置为"进入"→"飞入"，效果选项为"自左侧"，文本动画设置为"进入"→"浮入"，效果选项为"下浮"。

5. 第二张幻灯片的版式改为"竖排标题与文本"，标题为"统计样本情况"。第三张幻灯片前插入版式为"标题幻灯片"的新幻灯片，主标题为"北京市出租车驾驶员月支出情况"，副标题为"调查报告"。

6. 第五张幻灯片的版式改为"标题和内容"，标题为"每月每车支出情况表"，内容区插入 13 行 2 列表格，第 1 行第 1、2 列内容依次为"项目"和"支出"，第 13 行第 1 列的内容为"合计"，根据第四张幻灯片内容"根据调查，驾驶员单车支出情况为...每月每车合计支出 12 718.72 元"为第五张幻灯片表格填写"项目"与"支出"内容。

7. 设置表格文字大小 12，单元格高度 0.76，表格样式为"中度样式 2 -强调 6"

8. 然后删除第四张幻灯片。前移第三张幻灯片，使之成为第一张幻灯片。

9. 保存"PPT 练习 1.pptx"文件。

二、打开"PPT 练习 2 素材.pptx"文件，完成下列操作并保存。

图 3.86　PPT 练习 2 样张

1. 将"PPT 练习 2 素材.pptx"文件另存为"PPT 练习 2.pptx"(".pptx"为扩展名),除特殊指定外后续操作均基于此文件。

2. 使用"视差"主题修饰全文,将全部幻灯片的切换方案设置成"涡流",效果选项为"自顶部"。

3. 第一张幻灯片前插入版式为"两栏内容"的新幻灯片,标题键入"畅想无线城市的生活便捷",将素材文件夹中的 ppt2.jpg 的图片放在第一张幻灯片左侧内容区,将第二张幻灯片的内容文本移入第一张幻灯片右侧内容区,内容文本动画设置为"进入"→"随机线条"、效果选项为"水平",图片动画设置为"进入"→"缩放"、效果选项为"对象中心",动画顺序为先图片后文本。

4. 将第二张幻灯片版式改为"比较",将考生文件夹下 ppt2.jpg 的图片放在第二张幻灯片右侧内容区。

5. 将第三张幻灯片版式改为"竖排标题与文本"。

6. 将第四张幻灯片的副标题为"福建　无线城市群",设置隐藏背景图形,背景设置为"水滴"纹理,使第四张幻灯片成为第一张幻灯片。

7. 保存"PPT 练习 2.pptx"文件。

三、打开"PPT 练习 3 素材.pptx"文件,完成下列操作并保存。

图 3.87　PPT 练习 3 样张

1. 将"PPT 练习 3 素材.pptx"文件另存为"PPT 练习 3.pptx"(".pptx"为扩展名),除特殊指定外后续操作均基于此文件。

2. 所有幻灯片应用主题"丝状",所有幻灯片切换效果为"立方体"。

3. 在第一张幻灯片的副标题文本框中插入自动更新的日期(样式为"××××年××月××日")。

4. 在第八张幻灯片中插入图片 boluo.jpg,设置图片高度、宽度的缩放比例均为120%,图片"进入"的动画效果为:"垂直随机线条",在上一动画之后开始,延迟 1 秒。

5. 将幻灯片大小设置为"全屏显示(16:9)",并为所有幻灯片添加幻灯片编号。

6. 在最后一张幻灯片的右下角插入"动作按钮:转到主页",单击时超链接到第一张幻灯片,并伴有鼓掌声。

7. 保存"PPT 练习 3.pptx"文件。

四、打开"PPT 练习 4 素材.pptx"文件，完成下列操作并保存。

图 3.88　PPT 练习 4 样张

1. 将"PPT 练习 4 素材.pptx"文件另存为"PPT 练习 4.pptx"（".pptx"为扩展名），除特殊指定外后续操作均基于此文件。

2. 所有幻灯片应用主题"Moban03.potx"，所有幻灯片切换效果为"风"。

3. 为第二张幻灯片中带项目符号的文字创建超链接，分别指向具有相应标题的幻灯片。

4. 在第三张幻灯片文字下方插入图片 pic03.jpg，设置高度为 5 厘米、宽度为 12 厘米，动画效果为："单击"时"跷跷板"。

5. 除标题幻灯片外，在其他幻灯片中插入幻灯片编号和页脚，页脚内容为"屋顶花园"。

6. 在最后一张幻灯片中，以图片形式插入 book03.xlsx 中"最受欢迎的屋顶花园"的条形图表，并设置其高度和宽度缩放比例均为 120%。

7. 保存"PPT 练习 4.pptx"文件。

五、打开"PPT 练习 5 素材.pptx"文件，完成下列操作并保存。

图 3.89　PPT 练习 5 样张

1. 将"PPT 练习 5 素材.pptx"文件另存为"PPT 练习 5.pptx"（".pptx"为扩展名），除特殊指定外后续操作均基于此文件。

2. 所有幻灯片背景填充"纹理"→"新闻纸"，除标题幻灯片外，为其他幻灯片添加幻灯片编号。

3. 交换第一张和第二张幻灯片，并将文件 memo.txt 中的内容作为第三张幻灯片的备注。

4. 在第五张幻灯片文字下方偏左的位置插入图片 pic04.jpg,设置图片位置:水平位置 0 厘米,垂直位置 5 厘米,设置图片的动画为"动作路径"→"转弯";动画效果:"向下"。

5. 利用幻灯片母版,设置所有幻灯片标题字体格式为黑体、48 号字,所有标题的动画效果为单击时"自右侧飞入"。

6. 将幻灯片大小设置为"35 毫米幻灯片",选择内容"确保适合",并为最后一张幻灯片中的文字"返回"创建超链接,单击指向第一张幻灯片。

7. 保存"PPT 练习 5.pptx"文件。

【微信扫码】
参考答案 & 相关资源

第4章

Word 2016 高级应用

实验一 邮件合并批量生成文档

一、任务目标

设计并批量生成成绩报告，如图 4.1 所示。

图 4.1 主文档样张

二、相关知识

1. 对表格数据进行判断。
2. 图片域的插入和编辑。
3. 处理邮件合并中小数位数过多的问题。
4. 仅合并数据源中符合要求的特定记录。

三、任务实施

1. 打开"Word.docx",设置文档纸张方向为横向,上、下、左、右页边距都调整为2厘米,并添加0.5磅"阴影"型页面边框。

【操作步骤】

打开文件,单击【布局】选项卡→【页面设置】功能组→右下角"页面设置"按钮,打开页面设置对话框,如图4.2所示,将纸张方向设为横向,上下左右页边距均设为2厘米。

图4.2 页面设置

图4.3 页面边框

选择【设计】选项卡→【页面背景】功能组→"页面边框"命令,在对话框中左侧选择"阴影",然后单击确定,如图4.3所示。

2. 将文字"ABC设计公司员工××××年度成绩报告"字体修改为微软雅黑,一号字,文字颜色修改为"红色,个性色2",并应用加粗效果。对文字"××××年度成绩报告"应用双行合一的排版格式。

【操作步骤】

选中标题文字,在字体对话框中设置题目中要求的字体、字号、字形以及颜色,如图4.4所示。

图4.4 字体设置

选中文字"××××年度成绩报告",选择【开始】选项卡→【段落】功能组→"中文版式"命令→"双行合一",如图4.5所示,完成设置。

图4.5 双行合一

3.设置表格宽度为页面宽度的100%,表格可选文字属性的标题为"员工绩效考核成绩单"。

【操作步骤】

选中整个表格,单击右键或在【表格工具/布局】选项卡→【表】功能组中选择"属性"命令,打开对话框,设置尺寸度量单位为百分比,指定宽度为 100%,如图 4.6 所示。

图 4.6 表格属性 　　　　　　　　图 4.7 可选文字标题

设置完尺寸后单击对话框中的"可选文字"选项卡,在标题中输入"员工绩效考核成绩单",如图 4.7 所示,设置完成后单击确定按钮。

4. 参照样张分别合并第 3、4 列的 1～2 行单元格;合并第 4～6 行的第 3 列和第 4 列单元格;合并第 3 行和第 7 行的所有单元格,并设置这两行的垂直框线为无。

【操作步骤】

选中第三行单元格,选择【表格工具/布局】选项卡→【合并】功能组→"合并单元格"命令,如图 4.8 所示,此时选中的单元格会合并成一个单元格。用相同的方法对题目要求的单元格进行合并。

图 4.8 合并单元格

选中第 3 行表格,打开边框和底纹对话框,将单元格左右竖线设置为无,如图 4.9 所示,注意应用范围要设置为单元格,用相同的方法对第 7 行单元格进行设置。

5. 将表格中所有单元格中的对齐方式设置为"水平居中"对齐。适当调整表格中文字的大小、段落格式以及表格行高,使其能够在一个页面中显示。

图 4.9 取消竖线

【操作步骤】

选中整个表格,选择【表格工具/布局】选项卡→"对齐方式"功能组→"水平居中"命令,如图 4.10 所示,可将所有单元格文字设置为"水平居中"的对齐方式。将第 3 行和第 7 行表格适当缩小行高,使表格能够在一页显示,其他文字也可适当调整。

图 4.10 对齐方式

6. 为文档插入"空白(三栏)"式页脚,左侧文字为"ABC 设计公司",中间文字为"年度考核报告",右侧为可自动更新的如"2023 年 12 月 17 日"样式的日期;在页眉的右侧插入图片"logo.png",适当调整图片大小,使所有内容保持在一个页面中,如果页眉中包含水平横线则将其删除。

【操作步骤】

选择【插入】选项卡→【页眉和页脚】功能组→"页脚"命令→"空白(三栏)",在页脚左侧输入文字"ABC 设计公司",中间输入文字"年度考核报告",在右侧单击【插入】选项卡→【文本】功能组→"日期和时间"命令,打开如图 4.11 所示对话框,选择语言为中文,格式为年月日的日期格式,右下角勾选"自动更新",完成后单击确定按钮。

在页眉处设置将段落对齐方式设置为右对齐,插入 logo.png,将其调整大小,使得所有内容能显示在一页,如图 4.12 所示。

此时页眉下方如果有一条横线,选中图片后面的段落标记" ↵ ",点击【开始】选项卡→【段落】功能组进入边框和底纹对话框中,将下框线设置为无。

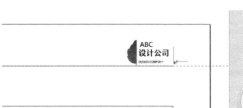

图 4.11　日期和时间　　　　　　　　　　　图 4.12　插入 logo

7. 右下角单元格插入对象"管理办法.docx",并修改对象下方的题注文字为"考核说明"。

【操作步骤】

光标定位到右下角单元格中,单击【插入】选项卡→【文本】功能组→"对象"命令→"对象",如图 4.13 所示。

图 4.13　插入对象

在弹出的对话框中选择"由文件创建"选项卡,选择素材文件所在位置,勾选"链接到文件"和"显示为图标",如图 4.14 所示。

图 4.14　插入文件对象

单击"更改图标",在弹出的对话框中将题注修改为"考核说明",如图 4.15 所示,单击确定按钮完成设置。

图 4.15　更改图标

8. 由于需要插入员工照片,设置表格的单元格大小不能更改。

【操作步骤】

选中整个表格,单击右键或在【表格工具/布局】选项卡→【表】功能组中选择"属性"命令,打开如图 4.16 所示的对话框,在对话框中单击"选项"按钮,打开"表格选项"对话框,在该对话框中取消勾选"自动重调尺寸以适应内容",如图 4.16 所示。

图 4.16　取消自动重调尺寸

9. 使用"员工考核成绩.xlsx"中的数据进行邮件合并，并在"员工部门""员工姓名""企业文化""业务能力""团队贡献"和"综合成绩"右侧的单元格中插入对应的合并域，其中"综合成绩"保留 1 位小数。

【操作步骤】

选择【邮件】选项卡→【开始邮件合并】功能组→"选择收件人"命令→"使用现有列表"，如图 4.17 所示。

图 4.17　选择收件人

在弹出的对话框中选择"员工考核成绩.xlsx"所在位置，进行收件人数据绑定。在员工部门右侧单元格中单击【邮件】选项卡→【编写和插入域】功能组→"插入合并域"命令→"部门"，如图 4.18 所示，根据表格中的内容，除了"员工照片"的其他相应部分采用类似办法插入对应的合并域。

图 4.18　插入合并域

选中插入的综合成绩,单击右键,选择"切换域代码",进行域代码编辑,在"MERGEFIELD 综合成绩"之后输入"\＃ ＃.0"(或"\＃ ＃.0"),如图 4.19 所示。

图 4.19　修改域代码

10. 在"是否达标"右侧单元格中插入域,判断成绩是否达到标准,如果综合成绩大于或等于 70 分,则显示"合格",否则显示"不合格"。

【操作步骤】

将光标定位于"是否达标"右侧单元格,选择【邮件】选项卡→【编写和插入域】功能组→"规则"命令→"如果……那么……否则……",在弹出的对话框中进行如图 4.20 所示的填写,判断如果综合成绩大于等于 70 则输出合格,否则输出不合格。

图 4.20　规则

11. 在"员工照片"右侧单元格中插入素材文件夹中员工对应的照片。

【操作步骤】

将光标定位到需要插入照片的位置,选择【插入】选项卡→【文本】功能组→"文档部件"命令→"域",如图 4.21 所示。

图 4.21　插入域

在弹出的对话框中选择类别"链接和引用",域名"IncludePicture",在文件名或 URL 处输入照片所在的目录位置(注意图中位址仅为示例),如图 4.22 所示,设置完成后单击确定。

图 4.22 IncludePicture 域

选中主文档照片处,按 Shift+F9 切换到域代码,在刚才的文件地址之后输入"\\"(注意要在地址后面的引号前),然后单击【邮件】选项卡→【编写和插入域】功能组→"插入合并域"命令→"照片",如图 4.23 所示。

图 4.23 修改照片域代码

完成后选中图片,按 F9 键刷新,就可以看到照片处出现了图像,如图 4.24 所示。

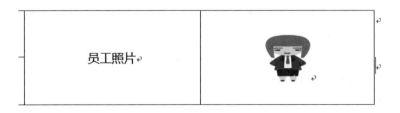

图 4.24 照片效果

12. 仅合并生成"生产部"员工的成绩报告,如有重复数据只合并一条,完成邮件合并,将合并的结果另存为文件"合并结果文档.docx"(".docx"为文件扩展名)。

【操作步骤】

选择【邮件】选项卡→【开始邮件合并】功能组→"编辑收件人"命令,如图 4.25 所示。

图 4.25　编辑收件人

单击"删选",在弹出的对话框中设置"部门"域等于"生产部",如图 4.26 所示,单击"确定"按钮。

图 4.26　筛选规则

图 4.27　查找重复收件人

在图 4.25 对话框中单击"查找重复收件人",弹出如图 4.27 所示对话框,重复收件人只选择一个,其他的取消勾选,单击确定。

选择【邮件】选项卡→【完成】功能组→"完成并合并"命令→"编辑单个文档",如图 4.28 所示完成邮件合并,在生成的结果文件中按 Ctrl+A 选中所有内容,然后按 F9 键进行刷新,就可以对每个人的照片进行更新。

将刷新过照片的结果文件以"合并结果文档.docx"保存,主文档以原文件名保存。

图 4.28 完成邮件合并

图 4.29 合并结果文档

实验二　应用样式进行长文档排版

一、任务目标

参照样例对长文档进行编辑,掌握分节、样式修改、样式导入导出、多级列表、不同视图的用法等操作。

二、相关知识

1. 为文档导入样式。

2. 不同视图的使用。

3. 图表的设置。

三、任务实施

1. 打开"疟原虫.docx",将文档中所有空行全部删除。

【操作步骤】

将光标定位到文件起始处,单击【开始】选项卡→【编辑】功能组→"替换"命令,弹出查找和替换对话框。因为空行是由两个连续的段落标记组成,所以可以将两个连续的段落标记替换为一个段落标记来删除空行。

在对话框中将光标定位到"查找内容"处,单击"更多"按钮,选择"特殊格式"→"段落标记",连续选择两次段落标记,接下来光标定位到"替换为"处,选择"特殊格式"→"段落标记",如图 4.30 所示。

图 4.30　查找和替换

单击"全部替换"按钮,每按一次全部替换按钮会删除一个空白行,因为有的地方有多个空白行,所以要多次单击,直到完成替换的次数不再变化为止。文章末尾处如有一空行请手动删除。

2. 参照示例文件 cover.png,为文档设计封面,封面不要页眉页脚和页码。

【操作步骤】

将光标定位到文章开头处,选择【插入】选项卡→【页面】功能组→"封面"命令→"平面",这时会插入"平面"型封面,在文档标题处输入"疟原虫百科",在文档副标题处输入"有关疟原虫的知识",删除其余控件,如图 4.31 所示。

图 4.31　封面　　　　　　　图 4.32　脚注和尾注

光标定位到正文前,选择【布局】选项卡→【页面设置】功能组→"分隔符"命令→"分节符"→"下一页",插入分节符,可以将封面的设置与其他页分开设置。

3. 为正文第一个"疟原虫"添加尾注,内容为文章开始处突出显示文字"杨黎青主编.免疫学基础与病原生物学:中国中医药出版社,2007",编号格式为 1,2,3…。添加完后将正文中的突出显示文字删除,并将尾注上方的横线改为文字"参考资料"。

【操作步骤】

光标定位到第一个疟原虫之后,选择【引用】选项卡→【脚注】功能组→"插入尾注"命令,将第 1 行突出显示的文字剪切到尾注位置,并取消突出显示效果。

单击【引用】选项卡→【脚注】功能组的右下角,打开"脚注和尾注"对话框,将编号格式改为"1,2,3…",如图 4.32 所示,单击"应用"按钮,此时可发现尾注编号格式已经更改。

选择【视图】选项卡→【视图】功能组→"草稿"命令,将视图切换为草稿视图,然后选择【引用】选项卡→【脚注】功能组→"显示备注"命令,如图 4.33 所示。

图 4.33　显示备注

这时页面下方会出现查看注释窗格，如图 4.34 所示。

图 4.34　查看注释窗格　　　　　　　　　　图 4.35　更改尾注分隔符

在窗格里单击"所有尾注"右侧下拉三角，选择"尾注分隔符"，此时可以看到尾注上方的横线可以被选中，删除此线，并输入"参考资料"，如图 4.35 所示。

在视图选项卡中将视图切换为"页面"视图，文章末尾处可以看到横线已经更改为文字。

4. 将素材文件夹下的"Word_样式标准.docx"文件里文档样式库中的"标题1，标题样式一"和"标题2，标题样式二"复制到 Word.docx 文档样式库中。

【操作步骤】

单击【开始】选项卡→【样式】功能组右下角按钮，打开"样式"对话框，在对话框中单击"管理样式"按钮，如图 4.36 所示。

图 4.36　管理样式

在弹出的管理样式对话框中单击左下角"导入/导出"按钮,打开管理器窗口,如图 4.37 所示。

图 4.37 管理器窗口

在对话框中单击右侧的"关闭文件"按钮,关闭共用模板文件,此时"关闭文件"按钮会变为"打开文件",单击此按钮,选择"Word_样式标准.docx"文件所在位置。

此时在所选位置看不到任何文件,在对话框的右下角将文件类型改为"所有文件",如图 4.38 所示。

图 4.38 更改显示文件类型

选中"Word_样式标准.docx"，点击打开，在管理器窗口右侧将看到该文件中的所有样式，如图 4.39 所示。

图 4.39　样式管理器

在右侧按 Ctrl 键同时选中"标题 1，标题样式一"和"标题 2，标题样式二"，单击"复制"按钮，在弹出的对话框中选择"全是"，将这两个样式复制到当前文件中，如图 4.40 所示，关闭对话框。

图 4.40　样式导入完成

5. 将文字的样式按下表进行设置。

文字颜色	样式	修改格式	多级列表
红色	标题 1，标题样式一	与下段同页	第 1 部分、第 2 部分……，文本缩进 0 厘米
蓝色	标题 2，标题样式二	与下段同页	1－1、1－2……2－1、2－2……，文本缩进 0 厘米

续 表

文字颜色	样式	修改格式	多级列表
绿色	标题 3	小四号字、宋体、加粗,标准深蓝色,段前 12 磅、段后 6 磅,行距最小值 12 磅	1-1-1、1-1-2……2-1-1……2-2-1……,文本缩进 0 厘米
除上述三个级别标题外的所有正文	正文	首行缩进 2 字符,1.25 倍行距,段后 6 磅,两端对齐	

【操作步骤】

选择【开始】选项卡→【样式】功能组,右键单击"标题样式一",选择"修改"命令,如图 4.41 所示。

图 4.41　修改样式

在弹出的对话框中选择"格式"→"段落",如图 4.42 所示。

图 4.42　修改样式

在段落对话框中选择"换行和分页"选项卡，勾选"与下段同页"，如图 4.43 所示。单击确定完成样式修改。

图 4.43　段落样式修改

用类似的方法对表格中的其他样式进行修改。

将光标定位到文中红色文字处，或选中红色文字，单击【开始】选项卡→【编辑】功能组→"选择"命令→"选择格式相似的文本"，如图 4.44 所示，批量选中文中的红色文字，单击"标题样式一"，使得所有选中文字应用该样式。

图 4.44　选择格式相似的文本

光标定位到标题处，用同样的方法将其他文字进行样式应用。

将光标定位到正文开始位置，选择【开始】选项卡→【段落】功能组→"多级列表"命令→"定义新的多级列表"，如图 4.45 所示。

图 4.45　定义新的多级列表

在弹出的对话框中单击左下角"更多"按钮，展开对话框，如图 4.46 所示。

图 4.46　多级列表对话框

在对话框中单击要修改的级别,分别对 1、2、3 级别链接到标题 1、标题 2 和标题 3,设置如图 4.47 所示,编号格式处修改为表格中所列文字格式(注意数字不能删除)。

图 4.47　修改列表格式

图 4.48　与下段同页

6. 参照样张,在正文中适当位置插入图 1,并将其题注设为"图 1 显微镜下的疟原虫",在适当位置插入图 2,并将其题注设为"图 2 在人体内的发育",要求图片均居中对齐,图片和题注始终在一页。

【操作步骤】

将光标定位到 2-2-1 的合适位置(注意在空白行将首行缩进格式去掉),选择【插入】选项卡→【插图】功能组→"图片"命令,选择素材图片所在位置进行插入操作。选中图片,打开【开始】选项卡→"段落"对话框,将对齐方式设置为居中,"换行与分页"中勾选"与下段同页",如图 4.48 所示。

在图片上点右键,选择"插入题注",打开题注对话框,单击"新建标签",在弹出的对话框中输入"图",建立新标签,如图 4.49 所示。

这样插入的题注会自动进行 1,2,3…编号。如果要包含章节号可以在"题注"对话框中单击"编号"按钮,在如图 4.50 所示的对话框中勾选"包含章节号"。本练习中无需勾选。

图 4.49 新建标签　　　　　图 4.50 题注编号

在题注对话框的图 1 之后加上文字"显微镜下的疟原虫",完成图 1 的所有操作。用类似的方法对图 2 进行插入并设置。

7. 将正文中使用黄色突出显示的文本"图 1"和"图 2"替换为可以自动更新的交叉引用,引用类型为图片下方的题注,只引用标签和编号。

【操作步骤】

将文件中突出显示的文本"图 1"(可以查找方法快速定位)删除,在原位置选择【引用】选项卡→【题注】功能组→"交叉引用"命令,如图 4.51 所示。

图 4.51 选择交叉引用

在交叉引用对话框中在引用类型处选择"图",引用内容选择"只有标签和编号",引用题注选择"图 1 显微镜下的疟原虫",如图 4.52 所示。单击"插入",此时文中会插入交叉引用的"图 1",后续如果图顺序发生改变,交叉引用内容会随之变化。

图 4.52 交叉引用

用同样的方法替换突出显示的"图 2"文字。

8. 参照图表样例,在第 8 部分的表格下方插入图表,要求坐标轴等数值与样例完全一致。

【操作步骤】

将光标定位到表格下方,选择【插入】选项卡→【插图】功能组→"图表"命令,在"插入图表"对话框中选择"组合图",单击确定,如图 4.53 所示。

图 4.53　插入组合图

这时会打开一个 Excel 表格,将 Word 中的表格数据从 A1 单元格粘贴到此 Excel 中,并将不需要的类别删除,如图 4.54 所示(注意不要关闭 Excel 窗口)。

图 4.54　复制表格数据

复制好后可以看到 Word 中表格下方插入了一个图表，但是图表数据与样例中不同，选中图表后选择【图表工具/设计】选项卡→【数据】功能组→"切换行/列"命令，交换数据的行和列，如图 4.55 所示。

图 4.55　切换行/列

选择【图表工具/设计】选项卡→【类型】功能组→"更改图表类型"命令，在弹出的对话框中选择左侧"组合"，将"死亡率"右侧勾选"次坐标轴"，如图 4.56 所示，单击确定。

图 4.56　更改图表类型

选择【图表工具/格式】选项卡→【当前所选内容】功能组→"图表元素"选项→"垂直（值）轴"，如图 4.57 所示。

图 4.57　选择垂直轴

图 4.58　设置坐标轴格式

选中后单击下方"设置所选内容格式",参照样例在右侧窗口中填写相应数据,如图 4.58 所示。

选中"发病率"系列,选择【图表工具/设计】选项卡→【图表布局】功能组→"添加图表元素"→"数据标签"→"轴内侧",如图 4.59 所示。

这时发病率系列轴内侧会添加数据,用同样的方法对死亡率系列添加数据。将图表标题内容修改为"2015—2017 年中国疟疾发病率及死亡率",完成图表编辑,保持与样例一致,关闭 Excel 文件。

9. 在封面页与正文之间插入流行样式的文档目录,目录中要求包含标题 1 和标题 2 样式标题及对应的页码,制表符前导符为"……"。文档目录单独占用新页,且无需分栏。

【操作步骤】

光标定位在正文开始部分,选择【引用】选项卡→【目录】功能组→"目录"命令→"自定义目录",在弹出的对话框中选择格式为"流行",制表符前导符为第一个,显示级别为2,如图4.60所示,单击"确定",此时正文之前会插入目录。

10. 目录设置为奇偶页不同。目录页页眉均设置为"目录",居中显示,页脚在页面底端均以普通数字 2 格式插入"Ⅰ,Ⅱ,Ⅲ,…"的页码,页码从 1 开始。正文部分设置页眉页脚,奇数页页眉内容为"疟原虫百科",偶数页眉显示当前页面中标题 1 样式的编号和名称,均居中显示;所有页脚居中插入页码,要求页码编号从第 1 页开始,页码格式为"1,2,3…"。然后更新目录。

【操作步骤】

光标定位在封面与目录之间,通过选择【布局】选项卡→【页面设置】功能组→"分隔符"命令→"分节符"→"下一页",插入分节符,如图 4.61 所示。用同样的方法在目录与正文之

图 4.59　添加数据标签

图 4.60　插入目录

图 4.61   插入分节符

间插入分节符,如果有多余空行请删除。

在目录处进入页眉页脚视图,在【页眉页脚工具/设计】选项卡→【选项】功能组中取消"首页不同"、勾选"奇偶页不同"选项。在页眉处点击取消选择【页眉和页脚工具/设计】选项卡→【导航】功能组→"链接到前一条页眉"选项,如图 4.62 所示,在居中位置输入"目录"。在偶数页重复操作一次。

图 4.62   取消链接到前一条页眉

图 4.63   设置页码格式

在页脚处取消链接到前一条页眉,选择【页眉和页脚工具/设计】选项卡→【页眉页脚】功能组→"页码"命令→"页面底端"→"普通数字 2",插入页码。单击"页码"→"设置页码格式",将页码格式修改为题目中要求的格式,如图 4.63 所示,完成目录部分的页眉和页脚设置。在偶数页重复操作一次,页脚处如有空行请删除。

进入正文部分页眉和页脚视图,首先参照上面步骤将页眉和页脚部分取消链接到前一条页眉,清除页眉和页脚内容,取消首页不同,设置页码格式为"1,2,3,…",起始页码为1。

在奇数页页眉居中位置输入"疟原虫百科",在偶数页页眉居中位置选择【插入】选项卡→【文本】功能组→"文档部件"命令→"域",如图 4.64 所示。

图 4.64　插入域

在域对话框中类别选择"链接和引用",下方选择"StyleRef",域属性处选择"标题 1,标题样式一",域选项处勾选"插入段落编号",如图 4.65 所示。

图 4.65　StyleRef 域

插入完成后可以看到页眉中出现了"第一部分"的文字,接下来再次重复一次上面的插入操作,这次域选项不要勾选"插入段落标号",可以看到标题 1 的文字部分被插入页眉中。

页脚部分页码的插入参照目录部分插入的过程,完成正文部分页眉页脚的设置。

11. 为文档添加自定义属性,名称为"类别",类型为文本,取值为"科普"。

【操作步骤】

选择【文件】选项卡→"信息"选项→"属性"→"高级属性",如图 4.66 所示。

图 4.66　添加属性

在弹出的对话框中选择"自定义"选项卡,添加相应属性后点确定,如图 4.67 所示。

图 4.67　自定义属性

12. 保存文档"疟原虫.docx"。

单击"保存"按照对文章进行保存,完成对文件的编辑。

实验三 **为文章添加引用内容并修订**

一、任务目标

参照样例学会对文章中索引项标记、导入参考文献、接受和拒绝修订并对文章部分内容进行限制编辑。

二、相关知识

1. 一次性将某个词添加为索引项。
2. 引用文件中的参考文献。
3. 接受或拒绝不同作者对文件的修订。
4. 限制编辑。

三、任务实施

1. 打开素材文件"抗生素发现及应用史.docx",接受胡梓涵对文件的所有修订,拒绝高欣阳对文件的所有修订。

【操作步骤】

打开素材文件,选择【审阅】选项卡→【修订】功能组→"显示标记"→"特定人员",先取消勾选"高欣阳",仅选中"胡梓涵",如图4.68所示。

图4.68 选择特定人员　　　　　　　　　　图4.69 接受修订

单击"接受"选项,右侧会出现胡梓涵对文件的所有修订内容,再点击"接受"下方的黑色三角,选择"接受所有显示的修订",如图4.69所示。

用类似的方法,选择特定人员为"高欣阳",单击"拒绝",此时右侧会出现所有高欣阳进行的修订内容,单击"拒绝"下方的黑色三角,选择"拒绝所有修订",如图4.70所示。

图4.70 拒绝所有修订

2. 在文章末尾输入标题1样式的文字"索引"，并在下方插入文章中所有"抗生素"作为索引项，索引项格式为"流行"，排序依据为"拼音"。

【操作步骤】

光标定位到文章最后，输入"索引"，样式设置为"标题1"。选中文中任意一个"抗生素"，选择【引用】选项卡→【索引】功能组→"标记索引项"，如图4.71所示。

图 4.71　标记索引

点击后会弹出标记索引项的对话框，如图4.72所示。

图 4.72　标记索引项

图 4.73　插入索引

在"所属拼音项"中输入"kss"，单击"标记全部"按钮，这时文中的所有"抗生素"被添加进索引。

光标定位在文章末尾，选择【引用】选项卡→【索引】功能组→"插入索引"命令，弹出如图4.73所示对话框。

图 4.74　显示/隐藏编辑标记

选择格式为"流行"，排序依据为"拼音"，单击确定，完成索引的操作。

此时编辑标记会显示出来，如果想要隐藏编辑标记，可以单击【开始】选项卡→【段落】功能组→"显示/隐藏编辑标记"命令，如图4.74所示。

3. 在索引之后插入标题 1 样式的文字"参考文献"，在下方以"APA"格式插入"参考文献.xml"中的书目。

【操作步骤】

在文章末尾输入"参考文献"，并将其设为标题 1 样式，选择【引用】选项卡→【引文与书目】功能组→"管理源"命令，弹出源管理器窗口，如图 4.75 所示。

图 4.75 源管理器

在窗口上单击"浏览"按钮，选择素材"参考文献.xml"所在位置，如图 4.76 所示，单击确定。

图 4.76 打开源列表

打开文件后在源管理器左侧主列表中可以看到参考文献，将文献全部选中后单击"复制"按钮，复制到当前列表中，如图 4.77 所示。

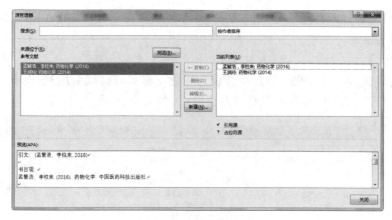

图 4.77　复制参考文献

光标定位到文件末尾,选择【引用】选项卡→【引文与书目】功能组→"样式"选项→"APA",然后单击"书目"→"插入书目",完成参考文献的插入。

4. 对文中的"应用历史"部分进行限制编辑,不允许对该部分内容进行修改,并启用密码为空的密码保护。

【操作步骤】

由于只对"应用历史"部分进行限制编辑,所以首先在"应用历史"部分的前后插入连续的分节符,如图 4.78 所示。

图 4.78　连续分节符

插入分节符后,选择【审阅】选项卡→【保护】功能组→"限制编辑"命令,如图 4.79 所示。

图 **4.79** 限制编辑

此时窗口右侧会出现"限制编辑"窗口,勾选"限制对选定的样式设置格式"和"仅允许在文档中进行次类似的编辑",在"仅允许在文档中进行次类似的编辑"下方选择"填写窗体",如图 4.80 所示。

此时"填写窗体"下方出现"选择节",点击后出现如图 4.81 所示窗口,在窗口中选择"第 2 节",单击确定。

在"启动强制保护"中选择"是,启动强制保护",在弹出的密码对话框中不输入,设置为空,如图 4.82 所示,直接单击"确定"按钮。

此时回到文中会发现,仅有第 2 节的内容无法编辑,其他部分是可以编辑的。

单击"保存"按钮对文章进行保存,完成对文件的编辑。

图 **4.80** 限制编辑

图 **4.81** 节保护

图 **4.82** 启动强制保护

综合练习

一、打开"Word 练习 1 素材.docx"文件,完成下列操作并保存。

1. 将"Word 练习 1 素材.docx"文件另存为"Word 练习 1.docx"(".docx"为扩展名),除特殊指定外后续操作均基于此文件。

2. 将纸张大小设为 A4,上、左、右边距均为 2.5 厘米,下边距 2 厘米,页眉、页脚分别距边界 1 厘米。

3. 插入"空白(三栏)"型页眉,在左侧的内容控件中输入学校名称"北京市向阳路中学",删除中间的内容控件,在右侧插入素材文件夹下的图片 Logo.gif 代替原来的内容控件,适当剪裁图片的长度,使其与学校名称共占用一行。将页眉下方的分隔线设为标准红色、2.25 磅、上宽下细的双线型。插入"空白"页脚,输入学校地址"北京市海淀区中关村北大街 55 号邮编:100871"。

4. 对包含绿色文本的成绩报告单表格进行下列操作:根据窗口大小自动调整表格宽度,且令语文、数学、英语、物理、化学5科成绩所在的列等宽。

5. 将通知最后的蓝色文本转换为一个6行6列的表格,并参照素材文件夹下的文档"回执样例.png"进行版式设置。

6. 在"尊敬的"和"学生家长"之间插入学生姓名,在"期中考试成绩报告单"的相应单元格中分别插入学生姓名、学号、各科成绩、总分,以及各班级的平均分,要求通知中所有成绩均保留两位小数。学生姓名、学号、成绩等信息存放在素材文件夹下的 Excel 文档"学生成绩表.xlsx"中(提示:班级各科平均分位于成绩表的最后一行)。

7. 按照中文的行文习惯,对家长会通知主文档 Word 练习 1.docx 中的红色标题及黑色文本内容的字体、字号、颜色、段落间距、缩进、对齐方式等格式进行修改,使其看起来美观且易于阅读。要求整个通知只占用一页。

8. 仅为其中学号为 C121401~C121405、C121416~C121420、C121440~C121444 的 15 位同学生成家长会通知,要求每位学生占 1 页内容。将所有通知页面另外保存在一个名为"正式家长会通知.docx"的文档中(如果有必要,应删除"正式家长会通知.docx"文档中的空白页面)。

9. 文档制作完成后,分别保存"Word 练习 1.docx"和"正式家长会通知.docx"两个文档至素材文件夹下。

样张:

图 4.83　样张

二、打开"Word 练习 2 素材.docx"文件,完成下列操作并保存。

1. 在素材文件夹下,将文档"Word 练习 2 素材.docx"另存为"Word 练习 2.docx"(".docx"为扩展名),此后所有操作均基于该文档。

2. 为论文创建封面,将论文题目、作者姓名和作者专业放置在文本框中,并居中对齐;文本框的环绕方式为四周型,在页面中的对齐方式为左右居中。在页面的下侧插入图片"图片1.jpg",环绕方式为四周型,并应用一种映像效果。整体效果可参考示例文件"封面效果.docx"。

3. 对文档内容进行分节,使得"封面""目录""图表目录""摘要""1. 引言""2. 库存管理的原理和方法""3. 传统库存管理存在的问题""4. 供应链管理环境下的常用库存管理方法""5. 结论""参考书目"和"专业词汇索引"各部分的内容都位于独立的节中,且每节都从新的一页开始。

4. 修改文档中样式为"正文文字"的文本,使其首行缩进 2 字符,段前和段后的间距为 0.5行;修改"标题 1"样式,将其自动编号的样式修改为"第 1 章,第 2 章,第 3 章……";修改标题2.1.2 下方的编号列表,使用自动编号,样式为"1),2),3)……";复制素材文件夹下"项目符号列表.docx"文档中的"项目符号列表"样式到论文中,并应用于标题 2.2.1 下方的项目符号列表。

5. 将文档中的所有脚注转换为尾注,并使其位于每节的末尾;在"目录"节中插入"流行"格式的目录,替换"请在此插入目录!"文字;目录中需包含各级标题和"摘要""参考书目"以及"专业词汇索引",其中"摘要""参考书目"和"专业词汇索引"在目录中需和标题 1 同级别。

6. 使用题注功能,修改图片下方的标题编号,以便其编号可以自动排序和更新,在"图表目录"节中插入格式为"正式"的图表目录;使用交叉引用功能,修改图表上方正文中对于图表标题编号的引用(已经用黄色底纹标记),以便这些引用能够在图表标题的编号发生变化时可以自动更新。

7. 将文档中所有的文本"ABC 分类法"都标记为索引项;删除文档中文本"供应链"的索引项标记;更新索引。

8. 在文档的页脚正中插入页码,要求封面页无页码,目录和图表目录部分使用"Ⅰ,Ⅱ,Ⅲ……"格式,正文以及参考书目和专业词汇索引部分使用"1,2,3……"格式。

9. 删除文档中的所有空行。

答案文件见素材文件夹中"Word 练习 2.pdf"。

三、打开"Word 练习 3 素材.docx"文件,完成下列操作并保存。

1. 在素材文件夹下,将"Word 练习 3 素材.docx"文件另存为"Word 练习 3.docx"(".docx"为扩展名),后续操作均基于此文件。

2. 修改文档的页边距,上、下为 2.5 厘米,左、右为 3 厘米。

3. 将文档标题"德国主要城市"设置为如下格式:

字体	微软雅黑,加粗
字号	小初
对齐方式	居中
文本效果	填充-橄榄色,着色 3,锋利棱台
字符间距	加宽,6 磅
段落间距	段前间距:1 行;段后间距:1.5 行

4. 将文档第 1 页中的绿色文字内容转换为 2 列 4 行的表格，并进行如下设置（效果可参考素材文件夹下的"表格效果.png"示例）：

（1）设置表格居中对齐，表格宽度为页面的 80%，并取消所有的框线；

（2）使用素材文件夹中的图片"项目符号.png"作为表格中文字的项目符号，并设置项目符号的字号为小一号；

（3）设置表格中的文字颜色为黑色，字体为方正姚体，字号为二号，其在单元格内中部两端对齐，并左侧缩进 2.5 字符；

（4）修改表格中内容的中文版式，将文本对齐方式调整为居中对齐；

（5）在表格的上、下方插入 2.5 磅的横线作为修饰；

（6）在表格后插入分页符，使得正文内容从新的页面开始。

5. 为文档中所有红色文字内容应用新建的样式，要求如下（效果可参考素材文件夹中的"城市名称.png"示例）：

样式名称	城市名称
字体	微软雅黑，加粗
字号	三号
字体颜色	深蓝，文字 2
段落格式	段前、段后间距为 0.5 行，行距为固定值 18 磅，并取消相对于文档网格的对齐；设置与下段同页，大纲级别为 1 级
边框	边框类型为方框，颜色为"深蓝，文字 2"，左框线宽度为 4.5 磅，下框线宽度为 1 磅，框线紧贴文字（到文字间距磅值为 0），取消上方和右侧框线
底纹	填充颜色为"蓝色，个性色 1，淡色 80%"，图案样式为"5%"，颜色为自动

6. 为文档正文中除了蓝色的所有文本应用新建立的样式，要求如下：

样式名称	城市介绍
字号	小四号
段落格式	两端对齐，首行缩进 2 字符，段前、段后间距为 0.5 行，并取消相对于文档网格的对齐

7. 取消标题"柏林"下方蓝色文本段落中的所有超链接，并按如下要求设置格式（效果可参考素材文件夹中的"柏林一览.png"示例）：

设置并应用段落制表位	8 字符，左对齐，第 5 个前导符样式； 18 字符，左对齐，无前导符； 28 字符，左对齐，第 5 个前导符样式
设置文字宽度	将第 1 列文字宽度设置为 5 字符； 将第 3 列文字宽度设置为 4 字符

8. 将标题"慕尼黑"下方的文本"Muenchen"修改为"München"。

9. 在标题"波茨坦"下方，显示名为"会议图片"的隐藏图片。

10. 为文档设置"阴影"型页面边框，及恰当的页面颜色，并设置打印时可以显示；保存"Word 练习 3.docx"文件。

11. 将"Word 练习 3.docx"文件另存为"笔划顺序.docx"到素材文件夹；在"笔划顺序.docx"文件中，将所有的城市名称标题（包含下方的介绍文字）按照笔划顺序升序排列，并删除该文档第一页中的表格对象。

答案文件见素材文件夹中"Word 练习 3.pdf"和"笔划顺序.pdf"。

四、打开"Word 练习 4 素材.docx"文件，完成下列操作并保存。

1. 打开素材文件夹下的文档"Word 练习 4 素材.docx"，将其另存为"Word 练习 4.docx"（.docx 为文件扩展名），之后所有的操作均基于此文件。

2. 首先将文档"附件 4 新旧政策对比.docx"中的"标题 1""标题 2""标题 3"及"附件正文"4 个样式的格式应用到 Word 练习 4.docx 文档中的同名样式；然后将文档"附件 4 新旧政策对比.docx"中全部内容插入到 Word 练习 4.docx 文档的最下面，后续操作均应在 Word 练习 4.docx 中进行。

3. 删除文档 Word 练习 4.docx 中所有空行和全角（中文）空格；将"第一章""第二章""第三章"……所在段落应用"标题 2"样式；将所有应用"正文 1"样式的文本段落以"第一条，第二条，第三条……"的格式连续编号并替换原文中的纯文本编号，字号设为五号，首行缩进 2 字符。

4. 在标题段落"附件 3：高新技术企业证书样式"的下方插入图片"附件 3 证书.jpg"，为其应用恰当的图片样式、艺术效果，并改变其颜色。

5. 将标题段落"附件 2：高新技术企业申请基本流程"下的绿色文本参照其上方的样例转换成布局为"分段流程"的 SmartArt 图形，适当改变其颜色和样式，加大图形的高度和宽度，将第 2 级文本的字号统一设置为 6.5 磅，将图形中所有文本的字体设为"微软雅黑"。最后将多余的文本和样例删除。

6. 在标题段落"附件 1：国家重点支持的高新技术领域"的下方插入以图标方式显示的文档"附件 1 高新技术领域.docx"，将图标名称为"国家重点支持的高新技术领域"，双击该图标应能打开相应的文档进行阅读。

7. 文档的 4 个附件内容排列位置不正确，将其按 1、2、3、4 的正确顺序进行排列，但不能修改标题中的序号。

8. 将标题段落"附件 4：高新技术企业认定管理办法新旧政策对比"下的以连续符号"＃＃"分隔的蓝色文本转换为一个表格，套用恰当的表格样式，在"序号"列插入自动编号 1、2、3……，将表格中所有内容的字号设为小五号、在垂直方向上居中。令表格与其上方的标题"新旧政策的认定条件对比表"占用单独的横向页面，且表格与页面同宽，并适当调整表格各列列宽，结果可参考"Word 练习 4.pdf"。

9. 在文档开始的"插入目录"标记处插入只包含第 1、第 2 两级标题的目录并替换"插入目录"标记，目录页不显示页码。自目录后的正式文本另起一页，并插入自 1 开始的页码于右边距内，最后更新目录。

答案文件见素材文件夹中"Word 练习 4.pdf"。

五、打开"Word 练习 5 素材.docx"文件，完成下列操作并保存。

1. 在素材文件夹下，将"Word 练习 5 素材.docx"文件另存为"Word 练习 5.docx"

（".docx"为扩展名），后续操作均基于此文件。

2. 修改文档的纸张大小为"B5"，纸张方向为横向，上、下页边距为 2.5 厘米，左、右页边距为 2.3 厘米，页眉和页脚距离边界皆为 1.6 厘米。

3. 为文档插入"花丝"封面，将文档开头的标题文本"西方绘画对运动的描述和它的科学基础"移动到封面页标题占位符中，适当调整字体和字号，并删除其他占位符。

4. 删除文档中的所有全角空格。

5. 在文档的第 2 页，插入"运动型引述"提要栏的内置文本框，并将红色文本"一幅画最优美的地方和最大的生命力就在于它能够表现运动，画家们将运动称为绘画的灵魂。——拉玛左（16 世纪画家）"移动到文本框内（提示：移动时不要选中最后的段落标记），将文本框宽度设为与页面同宽。

6. 将文档中 8 个字体颜色为蓝色的段落设置为"标题 1"样式，3 个字体颜色为绿色的段落设置为"标题 2"样式，并按照下表要求修改"标题 1"和"标题 2"样式的格式。

标题 1 样式	字体格式：方正姚体，小三号，加粗，字体颜色为"白色，背景 1"； 段落格式：段前段后间距为 0.5 行，左对齐，并与下段同页； 底纹：应用于标题所在段落，颜色为"紫色，个性色 4，深色 25％"
标题 2 样式	字体格式：方正姚体，四号，字体颜色为"紫色，个性色 4，深色 25％"； 段落格式：段前段后间距为 0.5 行，左对齐，并与下段同页； 边框：对标题所在段落应用下框线，宽度为 0.5 磅，颜色为"紫色，个性色 4，深色 25％"，且距正文的间距为 3 磅

7. 新建"图片"样式，应用于文档正文中的 10 张图片，并修改样式为居中对齐和与下段同页；修改图片下方的注释文字，将手动的标签和编号"图 1"和"图 10"替换为可以自动编号和更新的题注，并设置所有题注内容为居中对齐，小四号字，中文字体为黑体，西文字体为 Arial，段前、段后间距为 0.5 行。

8. 将正文中使用黄色突出显示的文本"图 1"至"图 10"替换为可以自动更新的交叉引用，引用类型为图片下方的题注，只引用标签和编号。

9. 在标题"参考文献"下方，为文档插入书目，样式为"APA 第六版"，书目中文现的来源为文档"参考文献.xml"。

10. 在标题"人名索引"下方插入格式为"流行"的索引，栏数为 2，排序依据为拼音，索引项来自于文档"人名.docx"，在标题"参考文献"和"人名索引"前分别插入分页符，使它们位于独立的页面中（文档最后如存在空白页，将其删除）。

11. 为文档除了首页外，在页脚正中添加页码，正文页码自 1 开始，格式为"Ⅰ，Ⅱ，Ⅲ…"。

答案文件见素材文件夹中"Word 练习 5.pdf"。

【微信扫码】
参考答案 & 相关资源

第5章

Excel 2016 高级应用

使用高级函数完成图书销售统计

一、任务目标

通过完成图书销售统计的工作,掌握 5 种常用高级函数。最终表单结果如图 5.1 与图 5.2 所示。

	A	B	C	D	E	F	G	H	I
1					销售订单明细表				
2	订单编号	日期	书店名称	图书编号	图书名称	单价	销量(本)	小计	销售评价
3	BTW-08001	2012年1月2日	鼎盛书店	BK-83021	《计算机基础及MS Office应用》	¥ 36.00	12	¥ 432.00	良好
4	BTW-08002	2011年1月4日	博达书店	BK-83033	《嵌入式系统开发技术》	¥ 44.00	5	¥ 220.00	滞销
5	BTW-08003	2011年1月4日	博达书店	BK-83034	《操作系统原理》	¥ 39.00	41	¥ 1,599.00	畅销
6	BTW-08004	2011年1月5日	博达书店	BK-83027	《MySQL数据库程序设计》	¥ 40.00	21	¥ 840.00	良好
7	BTW-08005	2011年1月5日	鼎盛书店	BK-83028	《MS Office高级应用》	¥ 39.00	32	¥ 1,248.00	良好
8	BTW-08006	2011年1月6日	鼎盛书店	BK-83029	《网络技术》	¥ 43.00	3	¥ 129.00	滞销
9	BTW-08007	2011年1月9日	博达书店	BK-83030	《数据库技术》	¥ 41.00	1	¥ 41.00	滞销
10	BTW-08008	2011年1月10日	鼎盛书店	BK-83031	《软件测试技术》	¥ 36.00	3	¥ 108.00	滞销
11	BTW-08009	2011年1月10日	博达书店	BK-83035	《计算机组成与接口》	¥ 40.00	43	¥ 1,720.00	畅销
12	BTW-08010	2011年1月11日	隆华书店	BK-83022	《计算机基础及Photoshop应用》	¥ 34.00	22	¥ 748.00	良好
13	BTW-08011	2011年1月11日	鼎盛书店	BK-83023	《C语言程序设计》	¥ 42.00	31	¥ 1,302.00	良好
14	BTW-08012	2011年1月12日	隆华书店	BK-83032	《信息安全技术》	¥ 39.00	19	¥ 741.00	良好
15	BTW-08013	2011年1月12日	鼎盛书店	BK-83036	《数据库原理》	¥ 37.00	43	¥ 1,591.00	畅销
16	BTW-08014	2011年1月13日	鼎盛书店	BK-83024	《VB语言程序设计》	¥ 38.00	39	¥ 1,482.00	良好
17	BTW-08015	2011年1月15日	鼎盛书店	BK-83025	《Java语言程序设计》	¥ 39.00	30	¥ 1,170.00	良好
18	BTW-08016	2011年1月16日	鼎盛书店	BK-83026	《Access数据库程序设计》	¥ 41.00	43	¥ 1,763.00	畅销
19	BTW-08017	2011年1月16日	鼎盛书店	BK-83037	《软件工程》	¥ 43.00	40	¥ 1,720.00	畅销
20	BTW-08018	2011年1月17日	鼎盛书店	BK-83021	《计算机基础及MS Office应用》	¥ 36.00	44	¥ 1,584.00	畅销
21	BTW-08019	2011年1月18日	博达书店	BK-83033	《嵌入式系统开发技术》	¥ 44.00	33	¥ 1,452.00	良好
22	BTW-08020	2011年1月19日	鼎盛书店	BK-83034	《操作系统原理》	¥ 39.00	35	¥ 1,365.00	良好
23	BTW-08021	2011年1月22日	博达书店	BK-83027	《MySQL数据库程序设计》	¥ 40.00	22	¥ 880.00	良好
24	BTW-08022	2011年1月23日	博达书店	BK-83028	《MS Office高级应用》	¥ 39.00	38	¥ 1,482.00	良好
25	BTW-08023	2011年1月24日	鼎盛书店	BK-83029	《网络技术》	¥ 43.00	5	¥ 215.00	滞销
26	BTW-08024	2011年1月24日	鼎盛书店	BK-83030	《数据库技术》	¥ 41.00	32	¥ 1,312.00	良好
27	BTW-08025	2011年1月25日	隆华书店	BK-83031	《软件测试技术》	¥ 36.00	19	¥ 684.00	良好
28	BTW-08026	2011年1月26日	鼎盛书店	BK-83035	《计算机组成与接口》	¥ 40.00	38	¥ 1,520.00	良好
29	BTW-08027	2011年1月26日	鼎盛书店	BK-83022	《计算机基础及Photoshop应用》	¥ 34.00	29	¥ 986.00	良好
30	BTW-08028	2011年1月29日	鼎盛书店	BK-83023	《C语言程序设计》	¥ 42.00	45	¥ 1,890.00	畅销
31	BTW-08029	2011年1月30日	鼎盛书店	BK-83032	《信息安全技术》	¥ 39.00	4	¥ 156.00	滞销
32	BTW-08030	2011年1月31日	隆华书店	BK-83036	《数据库原理》	¥ 37.00	7	¥ 259.00	滞销
33	BTW-08031	2011年1月31日	隆华书店	BK-83024	《VB语言程序设计》	¥ 38.00	34	¥ 1,292.00	良好
34	BTW-08032	2011年2月1日	鼎盛书店	BK-83025	《Java语言程序设计》	¥ 39.00	18	¥ 702.00	良好
35	BTW-08033	2011年2月1日	隆华书店	BK-83026	《Access数据库程序设计》	¥ 41.00	15	¥ 615.00	良好
36	BTW-08034	2011年2月1日	鼎盛书店	BK-83037	《软件工程》	¥ 43.00	11	¥ 473.00	良好
37	BTW-08035	2011年2月5日	鼎盛书店	BK-83030	《数据库技术》	¥ 41.00	30	¥ 1,230.00	良好

订单明细　编号对照　统计报告　⊕

图 5.1　实验一样张 1

图 5.2　实验一样张 2

二、相关知识

1. 查找类 LOOKUP 与 VLOOKUP 函数。
2. 数学类 SUMPRODUCT 函数与 SUMIF 函数。
3. 日期类 DATE 函数。

三、任务实施

1. 打开"图书销售.xlsx"文档，请在"订单明细"工作表的"图书名称"列中，根据图书编号，使用 VLOOKUP 函数完成图书名称的自动填充。"图书名称"和"图书编号"的对应关系在"编号对照"工作表中。

【操作步骤】

选中 E3 单元格，输入信息"＝VLOOKUP("，单击功能区命令，在函数参数对话框中用鼠标（或者键盘）填入正确的参数内容。具体操作分别如图 5.3 和图 5.4 所示，完成后单击"确定"。

图 5.3　E3 单元格输入内容

图 5.4　函数参数对话框内容

使用填充柄将 E4：E636 中的单元格进行填充，完成计算。最终结果如图 5.5 所示。

	A	B	C	D	E	F	G	H	I
1					销售订单明细表				
2	订单编号	日期	书店名称	图书编号	图书名称	单价	销量（本）	小计	销售评价
3	BTW-08001	2011年1月2日	鼎盛书店	BK-83021	《计算机基础及MS Office应用》		12		
4	BTW-08002	2011年1月4日	博达书店	BK-83033	《嵌入式系统开发技术》		5		
5	BTW-08003	2011年1月4日	博达书店	BK-83034	《操作系统原理》		41		
6	BTW-08004	2011年1月5日	博达书店	BK-83027	《MySQL数据库程序设计》		21		
7	BTW-08005	2011年1月9日	鼎盛书店	BK-83028	《MS Office高级应用》		32		
8	BTW-08006	2011年1月9日	博达书店	BK-83029	《网络技术》		3		
9	BTW-08007	2011年1月9日	博达书店	BK-83030	《数据库技术》		1		
10	BTW-08008	2011年1月10日	鼎盛书店	BK-83031	《软件测试技术》		3		
11	BTW-08009	2011年1月10日	博达书店	BK-83035	《计算机组成与接口》		43		
12	BTW-08010	2011年1月11日	隆华书店	BK-83022	《计算机基础及Photoshop应用》		22		
13	BTW-08011	2011年1月11日	鼎盛书店	BK-83023	《C语言程序设计》		31		
14	BTW-08012	2011年1月12日	隆华书店	BK-83032	《信息安全技术》		19		
15	BTW-08013	2011年1月12日	博达书店	BK-83036	《数据库原理》		43		
16	BTW-08014	2011年1月13日	隆华书店	BK-83024	《VB语言程序设计》		39		
17	BTW-08015	2011年1月15日	鼎盛书店	BK-83025	《Java语言程序设计》		30		
18	BTW-08016	2011年1月16日	鼎盛书店	BK-83026	《Access数据库程序设计》		43		
19	BTW-08017	2011年1月16日	鼎盛书店	BK-83037	软件工程》		40		
20	BTW-08018	2011年1月17日	鼎盛书店	BK-83021	《计算机基础及MS Office应用》		44		
21	BTW-08019	2011年1月18日	博达书店	BK-83033	《嵌入式系统开发技术》		33		
22	BTW-08020	2011年1月19日	鼎盛书店	BK-83034	《操作系统原理》		35		
23	BTW-08021	2011年1月22日	博达书店	BK-83027	《MySQL数据库程序设计》		22		
24	BTW-08022	2011年1月23日	博达书店	BK-83028	《MS Office高级应用》		38		
25	BTW-08023	2011年1月24日	隆华书店	BK-83029	《网络技术》		5		
26	BTW-08024	2011年1月24日	鼎盛书店	BK-83030	《数据库技术》		32		
27	BTW-08025	2011年1月25日	鼎盛书店	BK-83031	《软件测试技术》		19		
28	BTW-08026	2011年1月26日	隆华书店	BK-83035	《计算机组成与接口》		38		
29	BTW-08027	2011年1月26日	鼎盛书店	BK-83022	《计算机基础及Photoshop应用》		22		
30	BTW-08028	2011年1月26日	鼎盛书店	BK-83023	《C语言程序设计》		45		
31	BTW-08029	2011年1月30日	鼎盛书店	BK-83032	《信息安全技术》		4		
32	BTW-08030	2011年1月31日	鼎盛书店	BK-83036	《数据库原理》		7		
33	BTW-08031	2011年1月31日	隆华书店	BK-83024	《VB语言程序设计》		34		
34	BTW-08032	2011年2月1日	博达书店	BK-83025	《Java语言程序设计》		18		
35	BTW-08033	2011年2月1日	鼎盛书店	BK-83026	《Access数据库程序设计》		15		
36	BTW-08034	2011年2月2日	博达书店	BK-83037	《软件工程》		11		
37	BTW-08035	2011年2月6日	鼎盛书店	BK-83030	《数据库技术》		30		
38	BTW-08036	2011年2月6日	鼎盛书店	BK-83031	《软件测试技术》		48		
39	BTW-08037	2011年2月7日	鼎盛书店	BK-83035	《计算机组成与接口》		3		
40	BTW-08038	2011年2月7日	鼎盛书店	BK-83022	《计算机基础及Photoshop应用》		22		
41	BTW-08039	2011年2月9日	鼎盛书店	BK-83023	《C语言程序设计》		3		
42	BTW-08040	2011年2月10日	隆华书店	BK-83021	《计算机基础及MS Office应用》		30		
43	BTW-08041	2011年2月12日	鼎盛书店	BK-83033	《嵌入式系统开发技术》		25		

图 5.5　VLOOKUP 函数计算结果

2. 在"订单明细"工作表中，根据"图书编号"使用 LOOKUP 函数完成图书单价的自动填充。"单价"和"图书编号"的对应关系在"编号对照"工作表中。

【操作步骤】

选中 F3 单元格，按照上题的操作方式插入函数 LOOKUP，如图 5.6 所示，在弹出的参数选定对话框里选择第一种形式，如图 5.7 所示。

图 5.6　LOOKUP 函数查找

图 5.7　参数类型选择

在函数参数对话框中填入如图 5.8 所示的内容，然后点击"确定"。

图 5.8 LOOKUP 函数对话框

使用填充柄将 E4:E636 中的单元格进行填充,完成计算。最终结果如图 5.9 所示。

图 5.9 LOOKUP 函数计算结果

3. 在"订单明细"工作表中,根据"单价"和"销量(本)",计算出小计。

【操作步骤】

在 H3 中输入公式"＝F3＊G3",按下 Enter 键完成计算,公式输入状态如图 5.10 所示。

图 5.10 公式编辑状态

通过填充柄将 H4:H636 中的单元格进行填充,完成计算。最终结果如图 5.11 所示。

图 5.11 小计运算填充后结果

4. 根据"销售(本)",使用 IF 函数对销售进行评价,如果销售＜＝10 本,则评价"滞销";如果销售＞＝40 本,则评价"畅销";否则,评价为"良好"。

【操作步骤】

第一步:选中 I3 单元格,插入 IF 函数,在对话框中填入如图 5.12 所示内容。

注意:value_if_false 参数中仅输入"if()"。

图 5.12 IF 函数对话框

第二步：将光标置于"if()"的括号内，接着用鼠标单击命令，在新弹出的 IF 函数参数对话框中填入内容如图 5.13 所示，完成后点击"确定"。

学会观察和留意编辑栏中显示的公式内容，此函数也可直接通过键盘输入，结果和公式详情如图 5.14 所示。

图 5.13　嵌套的 IF 函数对话框

图 5.14　IF 函数运算结果与公式显示

对所有 I4:I636 单元格实现填充，编辑后的工作表结果如图 5.15 所示。

	A	B	C	D	E	F	G	H	I
1					销售订单明细表				
2	订单编号	日期	书店名称	图书编号	图书名称	单价	销量(本)	小计	销售评价
3	BTW-08001	2011年1月2日 鼎盛书店		BK-83021	《计算机基础及MS Office应用》	¥ 36.00	12	¥ 432.00	良好
4	BTW-08002	2011年1月4日 博达书店		BK-83033	《嵌入式系统开发技术》	¥ 44.00	5	¥ 220.00	滞销
5	BTW-08003	2011年1月4日 博达书店		BK-83034	《操作系统原理》	¥ 39.00	41	¥ 1,599.00	畅销
6	BTW-08004	2011年1月5日 鼎盛书店		BK-83027	《MySQL数据库程序设计》	¥ 40.00	21	¥ 840.00	良好
7	BTW-08005	2011年1月6日 鼎盛书店		BK-83028	《MS Office高级应用》	¥ 39.00	32	¥ 1,248.00	良好
8	BTW-08006	2011年1月9日 鼎盛书店		BK-83029	《网络技术》	¥ 43.00	3	¥ 129.00	滞销
9	BTW-08007	2011年1月9日 博达书店		BK-83030	《数据库技术》	¥ 41.00	1	¥ 41.00	滞销
10	BTW-08008	2011年1月10日 鼎盛书店		BK-83031	《软件测试技术》	¥ 36.00	3	¥ 108.00	滞销
11	BTW-08009	2011年1月10日 博达书店		BK-83035	《计算机组成与接口》	¥ 40.00	43	¥ 1,720.00	畅销
12	BTW-08010	2011年1月11日 隆华书店		BK-83022	《计算机基础及Photoshop应用》	¥ 34.00	22	¥ 748.00	良好
13	BTW-08011	2011年1月11日 鼎盛书店		BK-83023	《C语言程序设计》	¥ 42.00	31	¥ 1,302.00	良好
14	BTW-08012	2011年1月12日 鼎盛书店		BK-83032	《信息安全技术》	¥ 39.00	19	¥ 741.00	良好
15	BTW-08013	2011年1月12日 博达书店		BK-83036	《数据库原理》	¥ 37.00	43	¥ 1,591.00	畅销
16	BTW-08014	2011年1月13日 鼎盛书店		BK-83024	《VB语言程序设计》	¥ 38.00	39	¥ 1,482.00	良好
17	BTW-08015	2011年1月15日 鼎盛书店		BK-83025	《Java语言程序设计》	¥ 39.00	30	¥ 1,170.00	良好
18	BTW-08016	2011年1月16日 鼎盛书店		BK-83026	《Access数据库程序设计》	¥ 41.00	43	¥ 1,763.00	畅销
19	BTW-08017	2011年1月16日 博达书店		BK-83037	《软件工程》	¥ 43.00	40	¥ 1,720.00	畅销
20	BTW-08018	2011年1月16日 鼎盛书店		BK-83021	《计算机基础及MS Office应用》	¥ 36.00	44	¥ 1,584.00	畅销
21	BTW-08019	2011年1月18日 博达书店		BK-83033	《嵌入式系统开发技术》	¥ 44.00	33	¥ 1,452.00	良好
22	BTW-08020	2011年1月18日 隆华书店		BK-83034	《操作系统原理》	¥ 39.00	35	¥ 1,365.00	良好
23	BTW-08021	2011年1月22日 博达书店		BK-83027	《MySQL数据库程序设计》	¥ 40.00	22	¥ 880.00	良好
24	BTW-08022	2011年1月23日 博达书店		BK-83028	《MS Office高级应用》	¥ 39.00	38	¥ 1,482.00	良好
25	BTW-08023	2011年1月24日 鼎盛书店		BK-83029	《网络技术》	¥ 43.00	5	¥ 215.00	滞销
26	BTW-08024	2011年1月24日 鼎盛书店		BK-83030	《数据库技术》	¥ 41.00	32	¥ 1,312.00	良好
27	BTW-08025	2011年1月25日 鼎盛书店		BK-83031	《软件测试技术》	¥ 36.00	19	¥ 684.00	良好
28	BTW-08026	2011年1月26日 隆华书店		BK-83035	《计算机组成与接口》	¥ 40.00	38	¥ 1,520.00	良好
29	BTW-08027	2011年1月26日 鼎盛书店		BK-83022	《计算机基础及Photoshop应用》	¥ 34.00	29	¥ 986.00	良好
30	BTW-08028	2011年1月29日 鼎盛书店		BK-83023	《C语言程序设计》	¥ 42.00	45	¥ 1,890.00	畅销
31	BTW-08029	2011年1月30日 鼎盛书店		BK-83032	《信息安全技术》	¥ 39.00	4	¥ 156.00	滞销
32	BTW-08030	2011年1月31日 鼎盛书店		BK-83036	《数据库原理》	¥ 37.00	7	¥ 259.00	滞销
33	BTW-08031	2011年1月31日 鼎盛书店		BK-83024	《VB语言程序设计》	¥ 38.00	34	¥ 1,292.00	良好
34	BTW-08032	2011年2月1日 博达书店		BK-83025	《Java语言程序设计》	¥ 39.00	18	¥ 702.00	良好
35	BTW-08033	2011年2月1日 鼎盛书店		BK-83026	《Access数据库程序设计》	¥ 41.00	15	¥ 615.00	良好
36	BTW-08034	2011年2月5日 博达书店		BK-83037	《软件工程》	¥ 43.00	11	¥ 473.00	良好
37	BTW-08035	2011年2月5日 鼎盛书店		BK-83030	《数据库技术》	¥ 41.00	30	¥ 1,230.00	良好

图 5.15　销售评价计算结果

5. 根据"订单明细"工作表中的销售数据,统计"所有订单的总销售金额",并将其填写在"统计报告"工作表的 B3 单元格中。

【操作步骤】

在"统计报告"工作表中的 B3 单元格输入"＝SUM(订单明细！H3：H636)",或通过 SUM 函数对话框填入需计算的区域,完成销售额的计算。计算结果与公式如图 5.16 所示。

图 5.16　销售额计算

6. 根据"订单明细"工作表中的销售数据,使用 SUMPRODUCT 函数统计"《MS Office 高级应用》"图书在 2023 年的总销售额,并将其填写在"统计报告"工作表的 B4 单元格中。

【操作步骤】

选中 B4 单元格,插入 SUMPRODUCT 函数。本题对于函数参数的填写设置方式有多种,下面给出两种代表性的编辑方式,其他方式请自行尝试。

方法一:在 SUMPRODUCT 函数对话框中填入下述参数内容。

Array1：	1＊(订单明细！B3：B636＞＝Date(2023,1,1))
Array2：	1＊(订单明细！B3：B636＜Date(2024,1,1))
Array3：	1＊(订单明细！E3：E636＝"《MS Office 高级应用》")
Array4：	订单明细！H3：H636

具体编辑如图 5.17 所示。

图 5.17　SUMPRODUCT 方法一

方法二:在 SUMPRODUCT 函数对话框中填入下述参数内容。

Array1:(订单明细! B3:B636>=Date(2023,1,1)) * (订单明细! B3:B636<Date(2024,1,1)) * (订单明细! E3:E636="《MS Office 高级应用》") * (订单明细! H3:H636)

具体如图 5.18 所示。

图 5.18 SUMPRODUCT 方法二

7. 根据"订单明细"工作表中的销售数据,使用 SUMIFS 统计隆华书店在 2022 年第 3 季度的总销售额,并将其填写在"统计报告"工作表的 B5 单元格中。

【操作步骤】

在"统计报告"工作表的 B5 单元格中插入 SUMIFS 函数,在对话框中填入下述参数内容:

Sum_range:	订单明细! H3:H636
Criteria_range1:	订单明细! B3:B636
Criteria:	">=" & Date(2022,7,1)
Criteria_range2:	订单明细! B3:B636
Criteria2:	"<" & Date(2022,10,1)
Criteria_range3:	订单明细! C3:C636
Criteria3:	"隆华书店"

注意:SUMIFS 函数中的条件表达式需要加双引号。

具体参数编辑操作如图 5.19 所示。

图 5.19　SUMIFS 函数对话框

8. 根据"订单明细"工作表中的销售数据,使用 SUMPRODUCT 统计隆华书店的总销售额,并将其填写在"统计报告"工作表的 B6 单元格中。

【操作步骤】

在"统计报告"工作表的 B6 单元格中用键盘手动输入以下公式:

=SUMPRODUCT(1 * (订单明细! C263:C636="隆华书店"),订单明细! H263:H636)

按下 Enter 键完成计算,操作状态如图 5.20 所示。

图 5.20　键盘输入 SUMPRODCUT 函数

9. 保存编辑好的电子表格。

实验二　使用超级表完成销量分析

一、任务目标

通过成本与销量分析,掌握名称定义与超级表的概念,理解超级表中的语法,学会运用"函数帮助"来实时学习和使用新函数,同时进行复杂的图表设置。完成后工作簿结果如图 5.21、图 5.22 所示。

	A	B	C	D	E	F	G	H	I
1	客户代码	客户名称	联系人	联系人职务	城市	地区	实际消费金额	客户等级	
2	QUEDE	兰格英语	王先生	结算经理	北京	华北	4568.32	10级	
3	FOLIG	嘉业	刘先生	助理销售代	石家庄	华北	2975.2	10级	
4	SEVES	艾德高科技	谢小姐	销售经理	天津	华北	12495.9	8级	
5	PARIS	立日	李柏麟	物主	石家庄	华北	0	10级	
6	CHOPS	浩天旅行社	万先生	物主	天津	华北	4406.975	10级	
7	GREAL	仪和贸易	王先生	市场经理	北京	华北	392.2	10级	
8	HILAA	远东开发	王先生	销售代表	深圳	华南	11282.4	8级	
9	ANATR	东南实业	王先生	物主	天津	华北	111	10级	
10	BERGS	通恒机械	黄小姐	采购员	南京	华东	11612.335	8级	
11	LONEP	正太实业	林慧音	销售经理	石家庄	华北	1307.7	10级	
12	WARTH	升格企业	王俊元	结算经理	石家庄	华北	13999.9	8级	
13	EASTC	中通	林小姐	销售代理	天津	华北	5813.44	9级	
14	RANCH	大东补习班	陈小姐	销售代表	深圳	华南	555.38	10级	
15	LILAS	富泰人寿	陈先生	结算经理	天津	华北	11593.745	8级	
16	RICSU	永大企业	余小姐	销售经理	南京	华东	7561.55	9级	
17	NORTS	富同企业	王先生	销售员	石家庄	华北	352	10级	
18	SANTG	汉光企管	王先生	物主	重庆	西南	1523.6	10级	
19	LEHMS	幸义房屋	刘先生	销售代表	南京	华东	11192.015	8级	
20	VICTE	千固	苏先生	销售代理	秦皇岛	华北	7008.335	9级	
21	SAVEA	大钰贸易	胡继尧	销售代表	重庆	西南	29274.181	5级	
22	HANAR	实翼	谢小姐	结算经理	南昌	华东	5694.1575	9级	
23	SUPRD	福星制衣厂	徐先生	结算经理	天津	华北	15530.75	7级	
24	BLAUS	森通	王先生	销售代表	天津	华北	615.8	10级	
25	PERIC	就业广兑	唐小姐	销售代表	天津	华北	3231.16	10级	
26	GROSR	光远商贸	陈先生	物主	天津	华北	1377.1	10级	
27	BONAP	祥通	刘先生	物主	重庆	西南	10740.46	8级	
28	PICCO	顶上系统	方先生	销售经理	常州	华东	18085.7	7级	
29	SPLIR	昇昕	谢小姐	销售经理	深圳	华南	10425.764	8级	
30	FRANR	国银贸易	余小姐	市场经理	南京	华东	0	10级	
31	VINET	山泰企业	黎先生	结算经理	天津	华北	1607.6	10级	
32	TOMSP	东帝望	成先生	市场经理	青岛	华东	3446.36	10级	
33	BOTTM	广通	王先生	结算经理	重庆	西南	7936.15	9级	
34	BOLID	迈多贸易	陈先生	物主	西安	西北	1227.5	10级	
35	CENTC	三捷实业	王先生	市场经理	大连	东北	126	10级	
36									
37									

图 5.21　实验二样张 1

图 5.22　实验二样张 2

二、相关知识

1. 名称定义。

2. 超级表。

3. 函数查找与帮助。

4. 图表的高级设置。

三、任务实施

1. 打开"成本与销量分析.xlsx"文档,将"销售定级"工作表中的 A2:B11 区域定义名称为"定级依据"。

【操作步骤】

选中"销售定级"工作表中的 A2:B11 区域,在名称框中输入文本"定级依据",完成后按下 Enter 键确认,如图 5.23 所示。

2. 在"产品销售单"工作表中根据客户实际消费的金额,并使用上题定义的名称完成 H2:H35 区域内客户等级的计算。

【操作步骤】

在"产品销售单"工作表选中 H2 单元格,插入 VLOOKUP 函数(本题也可用 LOOKUP 函数),对话框中输入相应参数后,参数如图 5.24 所示,完成后单击确定。

图 5.23 定义名称

图 5.24 函数中使用名称定义

通过填充完成剩余 H3：H35 单元格中客户等级的计算，完成后工作表内容如图 5.25 所示。

图 5.25　函数计算后的工作表

图 5.26　表样式

3. 为"产品成本分析"工作表的单元格区域 A1：E9 套用表格格式：表样式中等深浅 2，并将 A2：E9 区域的名称修改为"成本分析"。

【操作步骤】

选中"产品成本分析"工作表的单元格区域 A1：E9，单击【开始】选项卡→【样式】功能组→"套用表格格式"下拉菜单→"表样式中等深浅 2"，如图 5.26 所示。

单击【公式】选项卡→【定义的名称】工作组→"名称管理器"，打开对话框如图 5.27 所示。

图 5.27　名称管理器对话框

图 5.28　选择"表一"并点击"编辑"

选择"表 1"后，单击"编辑"命令，如图 5.28 所示。

在弹出的"名称编辑"对话框中修改名称为"成本分析",如图 5.29 所示,并单击"确定"。

图 **5.29**　编辑名称对话框

图 **5.30**　编辑后的名称管理器

编辑后"名称管理器"对话框中内容如图 5.30 所示,点击"关闭"。

4. 为"产品成本分析"工作表的 B2:B9 区域使用计算式:"实际销量"×"产品均单价",计算"总成本"。

【操作步骤】

选中"产品成本分析"工作表中的 B2 单元,输入"=",并通过鼠标选中相 C2 和 D2 单元格的方式完成计算式的编辑,或者手动输入公式"=[@实际销量]*[@产品均单价]",操作如图 5.31 所示。

LEFT			fx	=[@实际销量]*[@产品均单价]	
	A	B	C	D	E
1	产品类别	总成本	实际销量	产品均单价	预计还会增比
2	饮料	=[@实际销量]*[@产品均单价]		¥15.00	
3	日用品		2395	¥23.00	
4	点心		489	¥85.00	
5	肉/家禽		332	¥110.00	
6	调味品		1181	¥22.00	
7	海鲜		677	¥36.00	
8	谷类/麦片		2005	¥11.00	
9	特制品		1209	¥18.00	
10					

图 **5.31**　超级表公式计算

按下 Enter 键完成运算,完成后工作表数据如图 5.32 所示。

B3			fx	=[@实际销量]*[@产品均单价]	
	A	B	C	D	E
1	产品类别	总成本	实际销量	产品均单价	预计还会增比
2	饮料	¥63,345.00	4223	¥15.00	
3	日用品	¥55,085.00	2395	¥23.00	
4	点心	¥41,565.00	489	¥85.00	
5	肉/家禽	¥36,520.00	332	¥110.00	
6	调味品	¥25,982.00	1181	¥22.00	
7	海鲜	¥24,372.00	677	¥36.00	
8	谷类/麦片	¥22,055.00	2005	¥11.00	
9	特制品	¥21,762.00	1209	¥18.00	
10					
11					

图 **5.32**　总成本计算结果

5. 借助函数查找功能，在工作表"产品成本分析"的 E2：E9 单元格中，计算"预计还会增长成本"值，计算式为：预计还会增长成本＝$\sqrt{总成本}$。

【操作步骤】

选中 E2 单元格，单击打开"插入函数"对话框，在"搜索函数"输入框内输入文本"平方根"，点击"转到"，如图 5.33 所示。

图 5.33　查找函数　　　　　　　　　　图 5.34　函数帮助

选中 SQRT 函数，点击左下角"有关函数的帮助"，弹出帮助窗口如图 5.34 所示。

关闭帮助窗口，返回"插入函数"对话框单击"确定"，在函数参数对话框中输入参数为"[@总成本]"，如图 5.35 所示。

图 5.35　超级表中平方根参数

单击"确定"后,工作表数据如图 5.36 所示。

产品类别	总成本	实际销量	产品均单价	预计还会增长
饮料	¥63,345.00	4223	¥15.00	¥251.68
日用品	¥55,085.00	2395	¥23.00	¥234.70
点心	¥41,565.00	489	¥85.00	¥203.87
肉/家禽	¥36,520.00	332	¥110.00	¥191.10
调味品	¥25,982.00	1181	¥22.00	¥161.19
海鲜	¥24,372.00	677	¥36.00	¥156.12
谷类/麦片	¥22,055.00	2005	¥11.00	¥148.51
特制品	¥21,762.00	1209	¥18.00	¥147.52

图 5.36 平方根函数计算结果

6. "产品成本分析"工作表中,根据"产品类别""总成本"和"产品均单价"创建图表,图表类型为"带数据标记的折线图",添加图表标题为"成本分析",图例位置位于图表顶部。

【操作步骤】

第一步:创建初始图表,常见规范操作一般有以下两种方式。

方法一:

利用鼠标与 Ctrl 键,选中 B1:B9 和 D1:D9 两列数据,单击【插入】选项卡→【图表】功能组中"带数据标记的折线图"图标,如图 5.37 所示。

图 5.37 插入带数据标记的折线图

图 5.38 选择数据对话框

方法二:

在远离数据区域的空白单元格处插入一个空白的图表,类型为"带数据标记的折线图"。选中空白图表,在上方功能区【设计】选项卡中(或右键),打开"选择数据"对话框,如图 5.38 所示。将光标置于对话框中"图表数据区域"输入框内,利用鼠标与 Ctrl 键,将 B1:B9 和 D1:D9 两列数据选中。

第二步:编辑图表水平轴。

单击打开"选择数据"对话框,单击"水平(分类)轴标签"下方的"编辑"命令,在"轴标签"对话框中设置"轴标签区域"为"产品成本分析! ＄A＄2:＄A＄9",如图 5.39 所示。编辑后对话框内容如图 5.40 所示,最后点击"确定"。

图 5.39 轴标签区域设置   图 5.40 编辑后的对话框

第三步:添加图表标题与图例。

方法一:

单价图表右上角的 ⊞ ,在图表标题的右侧下拉菜单中选择"图表上方",如图 5.41 所示。同样的方法设置图例位置位于"顶部",如图 5.42 所示。

图 5.41 图表元素快捷设置——图表标题   图 5.42 图表元素快捷设置——图例添加

方法二:

打开【设计】选项卡→【图表布局】功能组→"添加图标元素"下拉菜单,选择"图表标题"→"图表上方",如图 5.43 所示。同样的方法设置图例位置位于"顶部",如图 5.44 所示。

图 5.43 添加图表元素——图表标题   图 5.44 添加图表元素——图例设置

第四步:将图表标题的内容修改为"成本分析",如图 5.45 所示。

图 5.45 图表标题文本编辑

7. 设置"成本分析"图表为双坐标轴显示,令"产品均单价"绘制在次坐标轴。

【操作步骤】

方法一:

选中图表中的"产品均单价"数据系列,状态如图 5.46 所示。右键"设置数据系列格式"(或双击),在右侧弹出"设置数据点格式"窗格中,切换至"系列选项",勾选"次坐标轴",如图 5.47 所示。

图 5.46 选中"产品均单价"数据系列 图 5.47 设置系列绘制在次坐标轴

注意:弹出右侧对应窗格有多种方式,例如还可以直接双击图表区域,有兴趣的可以自行了解。但是其他方式通常需要将窗格内的选项设置内容进行切换。

方法二:

选中图表后,单击【设计】选项卡→"更改图表类型"命令,弹出对话框如图 5.48 所示。

在对话框内选择"组合",为"总成本"与"产品均单价"选择图表类型为"带数据标记的折线图",并将"产品均单价"勾选为"次坐标轴",如图 5.49 所示。完成后,图表状态如图 5.50 所示。

图 5.48　更改图表类型对话框

图 5.49　更改图表组合类型

图 5.50　图表双坐标轴显示

8. 更改"成本分析"图表中的"总成本"的数据系列类型,令其显示为"簇状柱形图",并更改折线数据标记形状为菱形◆。

【操作步骤】

第一步:修改组合图标类型。

选中图表,参照上题,打开"更改图表类型"对话框,在"组合"菜单中设置"总成本"的图表类型为"簇状柱形图",对话框如图 5.51 所示。"确定"后图表如图 5.52 所示。

第二步:设置数据系列格式。

参照上题选中"产品均单价"数据系列,右键单击菜单中选择"设置数据系列格式",在右侧弹出窗格中,切换至"填充与线条",选择"标记",如图 5.53 所示。

点开"数据标记选项",勾选"内置",在类型下拉菜单中选择菱形,如图 5.54 所示。

图 5.51 更改组合类型——柱形图类型

图 5.52 双图表类型

图 5.53 设置数据标记窗格

图 5.54 设置标记选项

9. 更改"成本分析"图表中主垂直轴的最大值 70 000，最小值 20 000；设置主要刻度单位为 10 000；次要刻度单位为 2 000，并显示内部次要刻度线。

【操作步骤】

双击左侧刻度区域，在右侧弹出窗格"设置坐标轴格式"；

切换窗格选项卡至"坐标轴选项"，点开下方的"坐标轴选项"设置，修改其中边界值为最小值为 20 000，最大值为 70 000；设置单位选项中主要值为 10 000，次要值为 2 000，如图 5.55 所示。

图 5.55　设置坐标轴刻度单位　　　　　　　　　　　图 5.56　显示内部次要刻度线

继续点开"刻度线",在次要类型中选择"内部",如图 5.56 所示。完成后的图表如图5.57
所示。

图 5.57　图表最终状态

保存编辑好的文档。

使用数据工具统计西部地区的降雨量

一、任务目标

通过对西部地区的降雨量进行分析统计,掌握合并计算的概念与操作,能够创建和调整迷你图表,设置数据的有效性,并能够熟悉数据格式自定义的语法,掌握高级筛选功能,熟悉 INDEX 函数与 MATCH 函数的功能。最终结果如图 5.58 所示。

图 5.58 实验三结果样张

二、相关知识

1. 合并计算。
2. 迷你图。
3. 数据有效性与高级筛选。
4. 数据格式自定义。
5. INDEX 函数与 MATCH 函数。

三、任务实施

1. 打开"西部地区降雨量.xlsx",请将"数据记录(有缺失)"工作表和"补充记录"工作表中的数据进行整合,形成一张完整的数据表放置在新工作表中,并重命名为"完整记录",然后将前两个工作表删除。接下来所有操作题均在"完整记录"中完成。

【操作步骤】

第一步:创建新工作表。

点击表下方 ⊕ 命令，如图 5.59 所示。生成新的工作表 Sheet1 后，将工作表重命名为"完整记录"。

图 5.59　新建"完整记录"工作表

第二步：创建合并数据表。

将光标选中"完整记录"工作表中的 A1 单元格，单击【数据】选项卡→【数据工具】功能组→"合并计算"命令，如图 5.60 所示。

图 5.60　合并计算命令

在合并计算对话框中的"函数"选项中，选择"求和"，如图 5.61 所示。将光标移至引用输入框，用鼠标选中"数据记录（有缺失）"工作表的区域 A1:P15，并在对话框内点击"添加"，如图 5.62 所示。

图 5.61　合并计算设置函数

图 5.62　合并计算添加引用位置一

同样，选中"补充记录"工作表的区域 A1:M5，然后在对话框内点击"添加"，如图 5.63 所示。在对话框中勾选标签位置为："首行"与"最左列"，如图 5.64 所示，完成后点击"确定"。

图 5.63　合并计算添加引用位置二

图 5.64　勾选标签位置

合并后的数据记录如图 5.65 所示。

	1月	2月	3月	4月	5月	6月	7月	8月	9月	10月	11月	12月	合计降水	排名	季节分布
太原taiyu:	3.7	2.7	20.9	63.4	17.6	103.8	23.9	45.2	56.7	17.4					
呼和浩特	6.5	2.9	20.3	11.5	7.9	137.4	165.5	132.7	54.9	24.7	6.7				
南昌nancl	75.8	48.2	145.3	157.4	104.1	427.6	133.7	68	31	16.6	138.7	9.7			
南宁nann	76.1	70	18.7	45.2	121.8	300.6	260.1	317.4	187.6	47.6	156	23.9			
重庆chonç	16.2	42.7	43.8	75.1	69.1	254.4	55.1	108.4	54.1	154.3	59.8	29.7			
成都cheng	6.3	16.8	33	47	69.7	124	235.8	147.2	267	58.8	22.6				
贵阳guiya	15.7	13.5	68.1	62.1	156.9	89.9	275	364.2	98.9	106.1	103.3	17.2			
昆明kunm	13.6	12.7	15.7	14.4	94.5	133.5	281.5	203.4	75.4	49.4	82.7	5.4			
拉萨lasa	0.2	7.5	3.8	3.8	64.1	63	162.3	161.9	49.4	10.9	6.9				
西安xian	19.1	7.5	21.7	55.6	22	59.8	83.7	87.3	83.1	73.1	12.3				
兰州lanzh	9	2.8	4.6	22	28.1	30.4	49.9	72.1	61.5	23.5	1.4	0.1			
西宁xining	2.6	2.7	7.7	32.2	48.4	60.9	41.6	99.7	62.9	19.7	0.2				
银川yinch	8.1	1.1		16.3	0.2	2.3	79.4	35.8	44.1	7.3					
乌鲁木齐	3	11.6	17.8	21.7	15.8	8.9	20.9	17.1	16.8	12.8	12.8	12.6			

图 5.65　合并计算后的效果

继续选中 A1 单元格,输入文本"城市(毫米)"。

第三步:删除多余工作表。

选中"数据记录(有缺失)"工作表标签后右键,单击"删除",如图 5.66 所示,同样操作删除"补充记录"工作表(也可同时选中两张表标签后删除)。

图 5.66　删除工作表

2. 将城市名称中的汉语拼音删除,并在城市名结尾添加文本"市",如"南昌市"。

【操作步骤】

第一步:在空白区域利用函数提取出汉字文本信息。

选择一个远离表区域的空白单元格,比如 S2 单元格,在单元格中输入公式:

$$=LEFT(A2,LENB(A2)-LEN(A2))\&"市"$$

按下 Enter 键完成,公式输入如图 5.67 所示。

图 5.67　截取城市名称公式编辑

使用填充柄,将 S3:S15 区域用类似的公式进行填充,结果如图 5.68 所示。

第二步:将计算出的汉字信息覆盖原城市数据。

将 S2:S15 中的内容进行复制,然后选中 A2:A15 单元格,在右键菜单中选择"粘贴选项"为"值",如图 5.69 所示。完成后删除 S2:S15 中的内容。工作表中结果如图 5.70 所示。

	S	T
	太原市	
	呼和浩特市	
	南昌市	
	南宁市	
	重庆市	
	成都市	
	贵阳市	
	昆明市	
	拉萨市	
	西安市	
	兰州市	
	西宁市	
	银川市	
	乌鲁木齐市	

图 5.68　公式填充后的结果　　　　**图 5.69　粘贴选项**

城市（毫米）	1月	2月	3月	4月	5月	6月	7月	8月	9月	10月	11月	12月	合计降水量	排名	季节分布
太原市	3.7	2.7	20.9	63.4	17.6	103.8	23.9	45.2	56.7	17.4					
呼和浩特市	6.5	2.9	20.3	11.5	7.9	137.4	165.5	132.7	54.9	24.7	6.7				
南昌市	75.8	48.2	145.3	157.4	104.1	427.6	133.7	68	31	16.6	138.7	9.7			
南宁市	76.1	70	18.7	45.2	121.8	300.6	260.1	317.4	187.6	47.6	156	23.9			
重庆市	16.2	42.7	43.8	75.1	69.1	254.4	55.1	108.4	54.1	154.3	59.8	29.7			
成都市	6.3	16.8	33	47	69.7	124	235.8	147.2	267	58.8	22.6				
贵阳市	15.7	13.5	68.1	62.1	156.9	89.9	275	364.2	98.9	106.1	103.3	17.2			
昆明市	13.6	12.7	15.7	14.4	94.5	133.5	281.5	203.4	75.4	49.4	82.7	5.4			
拉萨市	0.2	7.5	3.8	3.8	64.1	63	162.3	161.9	49.4	10.9	6.9				
西安市	19.1	7.5	21.7	55.6	22	59.8	83.7	87.3	83.1	73.1	12.3				
兰州市	9	2.8	4.6	22	28.1	30.4	49.9	72.1	61.5	23.5	1.4	0.1			
西宁市	2.6	2.7	7.7	32.2	48.4	60.9	41.6	99.7	62.9	19.7	0.2				
银川市	8.1	1.1		16.3	0.2	2.3	79.4	35.8	44.1	7.3					
乌鲁木齐市	3	11.6	17.8	21.7	15.8	8.9	20.9	17.1	16.8	12.8	12.8	12.6			

图 5.70　城市名称删除拼音后的效果

3. 将单元格区域 B2:M15 中所有的空单元格都填入数值 0；然后修改该区域的单元格数字格式，使得值小于 15 的单元格仅显示文本"干旱"（注意，本题不可修改数值本身）。

【操作步骤】

第一步：将空白单元格同时选中并快速填充。

选中 B2:M15 的单元格区域，单击【开始】选项卡→【查找和选择】功能组→"定位条件"，勾选"空值"，如图 5.71 所示。单击确定后保持当前状态，直接输入 0，按下 Ctrl＋Enter 键。编辑后的表区域如图 5.72 所示。

图 5.71　定位条件对话框

城市（毫米）	1月	2月	3月	4月	5月	6月	7月	8月	9月	10月	11月	12月	合计降水量	排名	季节分布
太原市	3.7	2.7	20.9	63.4	17.6	103.8	23.9	45.2	56.7	17.4	0	0			
呼和浩特市	6.5	2.9	20.3	11.5	7.9	137.4	165.5	132.7	54.9	24.7	6.7	0			
南昌市	75.8	48.2	145.3	157.4	104.1	427.6	133.7	68	31	16.6	138.7	9.7			
南宁市	76.1	70	18.7	45.2	121.8	300.6	260.1	317.4	187.6	47.6	156	23.9			
重庆市	16.2	42.7	43.8	75.1	69.1	254.4	55.1	108.4	54.1	154.3	59.8	29.7			
成都市	6.3	16.8	33	47	69.7	124	235.8	147.2	267	58.8	22.6	0			
贵阳市	15.7	13.5	68.1	62.1	156.9	89.9	275	364.2	98.9	106.1	103.3	17.2			
昆明市	13.6	12.7	15.7	14.4	94.5	133.5	281.5	203.4	75.4	49.4	82.7	5.4			
拉萨市	0.2	7.5	3.8	3.8	64.1	63	162.3	161.9	49.4	10.9	6.9	0			
西安市	19.1	7.5	21.7	55.6	22	59.8	83.7	87.3	83.1	73.1	12.3	0			
兰州市	9	2.8	4.6	22	28.1	30.4	49.9	72.1	61.5	23.5	1.4	0.1			
西宁市	2.6	2.7	7.7	32.2	48.4	60.9	41.6	99.7	62.9	19.7	0.2	0			
银川市	8.1	1.1	0	16.3	0.2	2.3	79.4	35.8	44.1	7.3	0	0			
乌鲁木齐市	3	11.6	17.8	21.7	15.8	8.9	20.9	17.1	16.8	12.8	12.8	12.6			

图 5.72　空值填充 0 值

第二步:自定义公式条件规则。

选中 B2:M15 的单元格区域,打开"设置单元格格式"对话框,在"数字"选项卡内选择分类为"自定义",输入以下内容:

$$[<15]"干旱"$$

对话框内设置如图 5.73 所示,完成后点击确定即可。

图 5.73 自定义数字格式

注意:点击确定后 Excel 会自动更正格式变为:$[<15]$"干旱";G/通用格式。

数字格式设置效果如图 5.74 所示。

	A	B	C	D	E	F	G	H	I	J	K	L	M	N	O	P
1	城市(毫米1月		2月	3月	4月	5月	6月	7月	8月	9月	10月	11月	12月	合计降水量排名		季节分布
2	太原市	干旱	干旱	20.9	63.4	17.6	103.8	23.9	45.2	56.7	17.4	干旱	干旱			
3	呼和浩特市	干旱	干旱	20.3	干旱	干旱	137.4	165.5	132.7	54.9	24.7	干旱	干旱			
4	南昌市	75.8	48.2	145.3	157.4	104.1	427.6	133.7	68	31	16.6	138.7	干旱			
5	南宁市	76.1	70	18.7	45.2	121.8	300.6	260.1	317.4	187.6	47.6	156	23.9			
6	重庆市	16.2	42.7	43.8	75.1	69.1	254.4	55.1	108.4	54.1	154.3	59.8	29.7			
7	成都市	干旱	16.8	33	干旱	69.7	124	235.8	147.2	267	58.8	22.6	干旱			
8	贵阳市	15.7	干旱	68.1	62.1	156.9	89.9	275	364.2	98.9	106.1	103.3	17.2			
9	昆明市	干旱	干旱	15.7	干旱	94.5	133.5	281.5	203.4	75.4	49.4	82.7	干旱			
10	拉萨市	干旱	干旱	干旱	干旱	64.1	63	162.3	161.9	49.4	干旱	干旱	干旱			
11	西安市	19.1	干旱	21.7	55.6	22	59.8	83.7	87.3	83.1	73.1	干旱	干旱			
12	兰州市	干旱	干旱	干旱	22	28.1	30.4	49.9	72.1	61.5	23.5	干旱	干旱			
13	西宁市	干旱	干旱	干旱	32.2	48.4	60.9	41.6	99.7	62.9	19.7	干旱	干旱			
14	银川市	干旱	干旱	干旱	16.3	干旱	干旱	79.4	35.8	44.1	干旱	干旱	干旱			
15	乌鲁木齐市	干旱	干旱	17.8	21.7	15.8	干旱	20.9	17.1	16.8	干旱	干旱	干旱			
16																

图 5.74 自定义数字格式应用后效果

4. 将降水量最大值超过(含)300 的城市名称显示为"淡绿色填充"。

【操作步骤】

第一步:选中区域,打开新建规则命令。

选中 A2:A15 的单元格区域,单击【开始】选项卡→【样式】功能组→"条件格式"下拉菜单→"新建规则"。

第二步:输入公式规则。

在"新建格式规则"对话框中,选择"使用公式确定要设置格式的单元格",在"为符合此公式的值设置格式"输入框中,输入以下内容:(提醒,本题混合引用不是必须)

$$=MAX(\$B2:\$M2)>=300$$

第三步:设置颜色格式。

单击对话框右下角的"格式"命令,在"设置单元格格式"对话框中设置填充色为浅绿色,"新建格式规则"对话框设置内容如图 5.75 所示。设置完成后点击确定。

图 5.75 新建公式规则

此时工作表数据如图 5.76 所示。

城市 (毫米)	1月	2月	3月	4月	5月	6月	7月	8月	9月	10月	11月	12月	合计降水量	排名	季节分布
太原市	3.7	2.7	20.9	63.4	17.6	103.8	23.9	45.2	56.7	17.4	0	0			
呼和浩特市	6.5	2.9	20.3	11.5	7.9	137.4	165.5	132.7	54.9	24.7	6.7	0			
南昌市	75.8	48.2	145.3	157.4	104.1	427.6	133.7	68	31	16.6	138.7	9.7			
南宁市	76.1	70	18.7	45.2	121.8	300.6	260.1	317.4	187.6	47.6	156	23.9			
重庆市	16.2	42.7	43.8	75.1	69.1	254.4	55.1	108.4	54.1	154.3	59.8	29.7			
成都市	6.3	16.8	33	47	69.7	124	235.8	147.2	267	58.8	22.6	0			
贵阳市	15.7	13.5	68.1	62.1	156.9	89.9	275	364.2	98.9	106.1	103.3	17.2			
昆明市	13.6	12.7	15.7	14.4	94.5	133.5	281.5	203.4	75.4	49.4	82.7	5.4			
拉萨市	0.2	7.5	3.8	3.8	64.1	6.3	162.3	161.9	49.4	10.9	6.9	0			
西安市	19.1	7.5	21.7	55.6	22	59.8	83.7	87.3	83.1	73.1	12.3	0			
兰州市	9	2.8	4.6	22	28.1	30.4	49.9	72.1	61.5	23.5	1.4	0.1			
西宁市	2.6	2.7	7.7	32.2	48.4	60.9	41.6	99.7	62.9	19.7	0.2	0			
银川市	8.1	1.1	0	16.3	0.2	2.3	79.4	35.8	44.1	7.3	0	0			
乌鲁木齐市	3	11.6	17.8	21.7	15.8	8.9	20.9	17.1	16.8	12.8	12.8	12.6			

图 5.76 应用公式规则后的工作表

5. 在单元格区域 N2:N15 中计算各城市十二个月的合计降水量,对计算出的合计值使用浅蓝色实心填充的数据条进行显示,要求不显示数值本身。

【操作步骤】

第一步:完成合计降水量的计算。

在 N2 单元格中利用 SUM 函数求出 B2:M2 区域内的数据和,并利用填充柄实现 N3: N15 单元内的计算。操作后效果如图 5.77 所示。

N2		:	×	✓	fx	=SUM(B2:M2)								
	A	B	C	D	E	F	G	H	I	J	K	L	M	N
1	城市（毫升	1月	2月	3月	4月	5月	6月	7月	8月	9月	10月	11月	12月	合计降水量 排
2	太原市	干旱	干旱	20.9	63.4	17.6	103.8	23.9	45.2	56.7	17.4	干旱	干旱	355.3
3	呼和浩特	干旱	干旱	20.3	干旱	137.4	165.5	132.7	54.9	24.7	干旱	干旱		571
4	南昌市	75.8	48.2	145.3	157.4	104.1	427.6	133.7	68	31	16.6	138.7	干旱	1356.1
5	南宁市	76.1	70	18.7	45.2	121.8	300.6	260.1	317.4	187.6	47.6	156	23.9	1625
6	重庆市	16.2	42.7	43.8	75.1	69.1	254.4	55.1	108.4	54.1	154.3	59.8	29.7	962.7
7	成都市	24	16.8	33	47	69.7	124	235.8	147.2	267	58.8	22.6	干旱	1028.2
8	贵阳市	15.7	干旱	68.1	62.1	156.9	89.9	275	364.2	98.9	106.1	103.3	17.2	1370.9
9	昆明市	干旱	干旱	15.7	干旱	94.5	133.5	281.5	203.6	75.4	49.4	82.7	干旱	982.2
10	拉萨市	干旱	干旱	干旱	干旱	64.1	63	162.3	161.9	49.4	干旱	干旱	干旱	533.8
11	西安市	19.1	干旱	21.7	55.6	22	59.8	83.7	87.3	83.1	73.1	干旱	干旱	525.2
12	兰州市	干旱	干旱	干旱	22	28.1	30.4	49.9	72.1	61.5	23.5	干旱	干旱	305.4
13	西宁市	干旱	干旱	干旱	32.2	48.4	60.9	41.6	99.7	62.9	19.7	干旱	干旱	378.6
14	银川市	干旱	干旱	干旱	16.3	干旱	干旱	79.4	35.8	44.1	干旱	干旱	干旱	194.6
15	乌鲁木齐市	干旱	干旱	17.8	21.7	15.8	干旱	20.9	17.1	16.8	干旱	干旱	干旱	171.8
16														

图 5.77　SUM 计算结果

第二步:设置数据条条件格式。

选中 N2:N15 单元,打开"条件格式"下拉菜单,单击"数据条"菜单中的"其他规则",如图 5.78 所示。

图 5.78　数据条-实心填充-其他规则

在"新建格式规则"对话框中,勾选"仅显示数据条",设置填充为实心填充,颜色为浅蓝色,如图 5.79 所示,点击确定。

图 5.79 新建数据条规则

填充后效果如图 5.80 所示。

N2			f_x	=SUM(B2:M2)										
	A	B	C	D	E	F	G	H	I	J	K	L	M	N	C
1	城市 (亳米1月	2月	3月	4月	5月	6月	7月	8月	9月	10月	11月	12月	合计降水量	排名
2	太原市	干旱	干旱	20.9	63.4	17.6	103.8	23.9	45.2	56.7	17.4	干旱	干旱	
3	呼和浩特市	干旱	干旱	20.3	干旱	干旱	137.4	165.5	132.7	54.9	24.7	干旱	干旱	
4	南昌市	75.8	48.2	145.3	157.4	104.1	427.6	133.7	68	31	16.6	138.7	干旱	
5	南宁市	76.1	70	18.7	45.2	121.8	300.6	260.1	317.4	187.6	47.6	156	23.9	
6	重庆市	16.2	42.7	43.8	75.1	69.1	254.4	55.1	108.4	54.1	154.3	59.8	29.7	
7	成都市	干旱	16.8	33	47	69.7	124	235.8	147.2	267	58.8	22.6	干旱	
8	贵阳市	15.7	干旱	68.1	62.1	156.9	89.9	275	364.2	98.9	106.1	103.3	17.2	
9	昆明市	干旱	干旱	15.7	干旱	94.5	133.5	281.5	203.4	75.4	49.4	82.7	干旱	
10	拉萨市	干旱	干旱	干旱	干旱	64.1	63	162.3	161.9	49.4	干旱	干旱	干旱	
11	西安市	19.1	干旱	21.7	55.6	22	59.8	83.7	87.3	83.1	73.1	干旱	干旱	
12	兰州市	干旱	干旱	干旱	22	28.1	30.4	49.9	72.1	61.5	23.5	干旱	干旱	
13	西宁市	干旱	干旱	干旱	32.2	48.4	60.9	41.6	99.7	62.9	19.7	干旱	干旱	
14	银川市	干旱	干旱	干旱	16.3	干旱	干旱	79.4	35.8	44.1	干旱	干旱	干旱	
15	乌鲁木齐市	干旱	干旱	17.8	21.7	15.8	干旱	20.9	17.1	16.8	干旱	干旱	干旱	

图 5.80 数据条实心填充后的效果

6. 在单元格区域 O2:O15 中根据合计降水量计算排名。

【操作步骤】

使用函数插入或手动键盘输入,在单元格中 O2 内完成"Rank.EQ(N2, $N$2:$N$15, 0)"的函数计算。

利用填充柄实现 O3:O15 单元内的计算。操作后效果如图5.81所示。

图 5.81 排名函数 RANK.EQ 与计算结果

7. 在单元格区域 P2:P15 中，插入迷你折线图，数据范围为 B2:M15 中的数值，设置折线颜色为浅蓝色，显示高点，并设置其颜色为标准红色。

【操作步骤】

第一步：插入初始迷你图。

选中 P2:P15 单元格区域，单击【插入】选项卡→【迷你图】"功能组→"折线图"命令，如图 5.82 所示。

图 5.82 迷你图功能组

在对话框中设置数据范围为 B2:M15，并检查放置迷你图的位置范围是否是 P2:P15（绝对引用或相对引用均可），对话框设置如图 5.83 所示。完成后点击"确定"，效果如图 5.84 所示。

图 5.83 创建迷你图对话框设置

图 5.84 迷你图初始状态

第二步:修改迷你图颜色设置。

保持 P2:P15 的选中状态,将功能区切换到【迷你图工具/设计】选项卡,点开"迷你图颜色"下拉菜单,选择浅蓝色,如图 5.85 所示。

在【显示】功能组勾选"高点",如图 5.86 所示,并点开"标记颜色"下拉菜单,选择"高点"并设置颜色为标准红色,如图 5.87 所示。

图 5.85　设置迷你图线条颜色　　图 5.86　设置显示高点　　　图 5.87　设置高点颜色

设置完成后效果如图 5.88 所示。

	9月	10月	11月	12月	合计降水量	排名	季节分布
45.2	56.7	17.4	干旱	干旱		11	
132.7	54.9	24.7	干旱	干旱		7	
68	31	16.6	138.7	干旱		3	
317.4	187.6	47.6	156	23.9		1	
108.4	54.1	154.3	59.8	29.7		6	
147.2	267	58.8	22.6	干旱		4	
364.2	98.9	106.1	103.3	17.2		2	
203.4	75.4	49.4	82.7	干旱		5	
161.9	49.4	干旱	干旱	干旱		8	
87.3	83.1	73.1	干旱	干旱		9	
72.1	61.5	23.5	干旱	干旱		12	
99.7	62.9	19.7	干旱	干旱		10	
35.8	44.1	干旱	干旱	干旱		13	
17.1	16.8	干旱	干旱	干旱		14	

图 5.88　迷你图最终效果

8. 在 R2 单元格输入文本"城市",并在 R3 单元格中设置数据有效性,仅允许在该单元格中填入单元格区域 A2:A15 中的城市名称,并提供下拉箭头。完成后在 R3 单元格中选择"乌鲁木齐市"。

【操作步骤】

在 R2 单元格输入文本"城市"。

单击选中 R3 单元格，单击【数据】选项卡→【数据工具】功能组→"数据验证"命令。

图 5.89　数据验证命令

在"数据验证"对话框中设置"允许"内容为"序列"，并在"来源"输入框用鼠标选中 A2：A15 单元格区域，并勾选"提供下拉箭头"，对话框中设定如图 5.90 所示。

图 5.90　数据验证对话框设置城市名称序列

在下拉菜单中选择"乌鲁木齐市"，如图 5.91 所示。

图 5.91　城市名称有效性显示

9. 在 S2 单元格中建立数据有效性，仅允许在该单元格中填入上半年月份的数字值与英文简称，格式如"1 月－Jan""2 月－Feb"等，并提供下拉菜单。完成后在 S2 单元格选择"3月－Mar"。

【操作步骤】

打开数据验证对话框，并设置"允许"内容为"序列"，在来源输入框中用键盘输入以下内容：

1 月－Jan，2 月－Feb，3 月－Mar，4 月－Apr，5 月－May，6 月－Jun

注意:标点符号必须为英文符号。对话框中具体设置如图 5.92 所示。

图 5.92　数据验证输入月份序列

在 S2 中通过下拉菜单选择"3 月－Mar",如图 5.93 所示。

图书编号	图书名称
BK-83021	=VLOOKUP(
BK-83033	

图 5.93　月份有效性结果显示

10. 在 S3 单元格中建立公式,使用 INDEX 函数和 MATCH 函数,根据 R3 单元格中的城市和 S2 单元格中的月份,查询对应的降水量。

【操作步骤】

利用函数插入命令或手动键盘输入,在单元格 S3 中输入以下内容:

$$=INDEX(B2:M15,MATCH(R3,A2:A15,0),LEFT(S2,1))$$

完成后,单元格内容显示如图 5.94 所示。

	显示		显示比例			窗口			宏			
fx	=INDEX(B2:G15,MATCH(R3,A2:A15,0),LEFT(S2,1))											
F	G	H	I	J	K	L	M	N	O	P	Q	R	S
	6月	7月	8月	9月	10月	11月	12月	合计降水量排名		季节分布		城市	3月-Mar
17.6	103.8	23.9	45.2	56.7	17.4	干旱	干旱		11			乌鲁木齐市	17.8
干旱	137.4	165.5	132.7	54.9	24.7	干旱	干旱		7				
104.1	427.6	133.7	68	31	16.6	138.7	干旱		3				
121.8	300.6	260.1	317.4	187.6	47.6	156	23.9		1				
69.1	254.4	55.1	108.4	54.1	154.3	59.8	29.7		6				

图 5.94　INDEX 函数与 MATCH 函数输入与计算结果

11. 通过高级筛选功能,自 A20 单元格起,筛选出 6 月份除银川市以外降雨量大于 100 的记录,要求只显示前 6 个月的数据,条件信息放置于 R10 处。

图 5.95　高级筛选对话框设置

【操作步骤】

第一步：书写条件。

利用 Ctrl 键同时选中 A1 与 G1 单元格，复制后，将光标置于 R10 单元格处进行粘贴。在 R11 单元格中填入"<>银川市"，在 S11 单元格中填入">100"。

第二步：设置高级筛选。

光标选中 A1:G15，单击【数据】选项卡→【排序和筛选】功能组→"高级"，在对话框内选择"将筛选结果复制到其他位置"，并用鼠标填入如图 5.95 所示信息，完成后单击确定。

保存"西部地区降雨量.xlsx"文件。

实验四　利用视图和布局功能制作每月支出与还贷计划

一、任务目标

获取文本文档中的数据，按照要求进行导入，并对空缺数据进行统一填充。完成内容编辑后，进行文档相关的属性设置，保护部分数据，并设置打印属性。完成后的两张工作表如图 5.96、图 5.97 所示。

图 5.96　个人预算工作表

图 5.97　十年还贷计算工作表

二、相关知识

1. 数据的导入与定位。
2. 冻结窗口。
3. 工作簿的保护。
4. 设置打印属性。

三、任务实施

1. 打开素材中的"预算与还贷.xlsx"文件,从"个人预算信息.txt"文件中导入相应的数据信息至工作表"个人预算"中,数据自 A2 开始放置。

【操作步骤】

第一步:找到"自文本"数据导入命令。

光标置于"个人预算"工作表中,选中 A2 单元格,单击【数据】选项卡→【获取外部数据】功能组→"自文本"命令,如图 5.98 所示。选择指定路径中的文件"个人预算信息.txt",点击"导入",如图 5.99 所示。

图 5.98　自文本命令

图 5.99　自文本对话框

第二步：文本导入向导对话框选项设置。

在弹出的"文本导入向导-第1步"中，选择通过"分隔符号"划分数据列。修改"导入起始行"为：2，选择"下一步"，如图5.100所示。

图5.100 文本导入向导-第1步

进入"文本导入向导"第2步，选择"分隔符号"为"Tab键"。在下方数据预览中可以看到分隔后的数据状态，如图5.101所示。

图5.101 文本导入向导-第2步

　　进入"文本导入向导"第 3 步后,选择第四列"数量"的数据列,勾选上方的"不导入此列(跳过)";选择第五列"单价"的数据列,同样勾选上方"不导入此列(跳过)";注意,最后还有一列空列,也不可导入。

　　设置完成后,不导入的数据列上方属性应显示为"忽略列"。操作截图见图 5.102、图 5.103 与图 5.104。最后,单击"完成"。

图 5.102　文本导入向导-第 3 步- a

图 5.103　文本导入向导-第 3 步- b

图 5.104　文本导入向导-第 3 步- c

图 5.105　导入数据对话框

　　完成导入向导后,在"导入数据"对话框中检查数据的放置位置,如图 5.105 所示,如果和所需位置不同,则需要进行修改。最后点击"确定"。文本导入后的状态如图 5.106 所示。

图5.106　文本导入完成状态

2. 将"个人预算"工作表中的空数据单元格内填入数据"10"。

【操作步骤】

第一步：定位所有空值单元格。

将表区域 A1:E67 选中，单击【开始】选项卡→【编辑】功能组→"查找和选择"下拉菜单→"定位条件"，勾选"空值"，如图5.107所示，单击"确定"。

图5.107　定位条件对话框

完成后,表区域将出现如图 5.108 所示状态。

日期	类别	内容	总价	地点
2020/3/1	面包	吐司	¥1.00	杂货铺
2020/3/1	预制餐	鸡排饭	¥2.00	快餐
2020/3/1	饮料	雪碧	¥1.00	快餐
2020/3/2	肉类	鸡肉	¥4.80	杂货铺
2020/3/2	甜品	糖果	¥5.00	杂货铺
2020/3/3	水果和蔬菜	苹果	¥6.00	送货上门
2020/3/3	预制餐	餐食		送货上门
2020/3/4	酒类	啤酒	¥1.00	咖啡店
2020/3/4	预制餐	特色菜	¥3.25	餐厅
2020/3/5	预制餐	汉堡		送货上门
2020/3/6	水果和蔬菜	桃子		送货上门
2020/3/7	饮料	苏打饮料	¥1.00	杂货铺
2020/3/7	乳制品	酸奶	¥0.40	杂货铺
2020/3/8	日用品	卫生纸	¥0.20	杂货铺
2020/3/8	日用品	沐浴乳	¥0.40	杂货铺
2020/3/9	建筑材料	钉子	¥1.00	杂货铺
2020/3/10	出行	车票		出租车
2020/3/10	娱乐	电影票	¥5.00	电影院
2020/3/11	书籍	小说	¥16.00	书店
2020/3/12	服饰	裤子	¥5.00	购物中心
2020/3/12	药品	感冒药	¥12.00	药店
2020/3/13	肉类	牛肉	¥18.00	杂货铺
2020/3/13	酒类	威士忌	¥25.00	杂货铺
2020/3/14	预制餐	火锅		餐厅
2020/3/14	水果和蔬菜	香蕉	¥6.00	杂货铺
2020/3/15	甜品	巧克力	¥6.00	杂货铺
2020/3/16	甜品	糖果	¥5.00	杂货铺
2020/3/16	乳制品	酸奶	¥0.40	杂货铺
2020/3/17	日用品	牙膏	¥0.20	送货上门
2020/3/17	水果和蔬菜	苹果		送货上门
2020/3/19	甜品	糖果	¥1.50	杂货铺
2020/3/19	预制餐	面条		快餐
2020/3/20	酒类	白酒	¥2.00	餐厅
2020/3/21	饮料	苏打饮料	¥1.00	杂货铺

图 5.108 定位空值后的状态

日期	类别	内容	总价	地点
2020/3/1	面包	吐司	¥1.00	杂货铺
2020/3/1	预制餐	鸡排饭	¥2.00	快餐
2020/3/1	饮料	雪碧	¥1.00	快餐
2020/3/2	肉类	鸡肉	¥4.80	杂货铺
2020/3/2	甜品	糖果	¥5.00	杂货铺
2020/3/3	水果和蔬菜	苹果	¥6.00	送货上门
2020/3/3	预制餐	餐食	10	送货上门
2020/3/4	酒类	啤酒	¥1.00	咖啡店
2020/3/4	预制餐	特色菜	¥3.25	餐厅
2020/3/5	预制餐	汉堡	10	送货上门
2020/3/6	水果和蔬菜	桃子	10	送货上门
2020/3/7	饮料	苏打饮料	¥1.00	杂货铺
2020/3/7	乳制品	酸奶	¥0.40	杂货铺
2020/3/8	日用品	卫生纸	¥0.20	杂货铺
2020/3/8	日用品	沐浴乳	¥0.40	杂货铺
2020/3/9	建筑材料	钉子	¥1.00	杂货铺
2020/3/10	出行	车票	10	出租车
2020/3/10	娱乐	电影票	¥5.00	电影院
2020/3/11	书籍	小说	¥16.00	书店
2020/3/12	服饰	裤子	¥5.00	购物中心
2020/3/12	药品	感冒药	¥12.00	药店
2020/3/13	肉类	牛肉	¥18.00	杂货铺
2020/3/13	酒类	威士忌	¥25.00	杂货铺
2020/3/14	预制餐	火锅	10	餐厅
2020/3/14	水果和蔬菜	香蕉	¥6.00	杂货铺
2020/3/15	甜品	巧克力	¥6.00	杂货铺
2020/3/16	甜品	糖果	¥5.00	杂货铺
2020/3/16	乳制品	酸奶	¥0.40	杂货铺
2020/3/17	日用品	牙膏	¥0.20	送货上门
2020/3/17	水果和蔬菜	苹果	10	送货上门
2020/3/19	甜品	糖果	¥1.50	杂货铺
2020/3/19	预制餐	面条	10	快餐
2020/3/20	酒类	白酒	¥2.00	餐厅

图 5.109 空值统一修改后的状态

第二步:快速填充数据 10。

此时,鼠标不要点击任何单元格,维持当前状态,直接键入数字 10,然后按下 Ctrl+Enter 键。完成后的表状态如图 5.109 所示。

3. 将将"个人预算"工作表中"总价"的数据设置为货币格式,并使用货币符号"￥",显示两位小数点。

【操作步骤】

选中 D2:D67 区域中所有总价数据,打开"设置单元格格式"对话框→"数字"选项卡→分类"货币",并设置小数位数为 2,货币符号为"￥",如图 5.110 所示。设置完成后点击"确定"。

4. 从"还贷信息.txt"中导入所有的数据信息至工作表"十年还贷计划"中,要求数据自 A1 开始放置,还款期数的数值格式保持三位。

【操作步骤】

第一步:通过"自文本"数据导入命令打开"还贷信息.txt"。

图 5.110 设置货币格式

切换至"十年还贷计划"工作表，鼠标选中 A1 单元格，选择【数据】选项卡→【获取外部数据】功能组→"自文本"命令，选择指定路径中的文件"还贷信息.txt"，点击"导入"，如图 5.111 所示。

图 5.111　导入文本文件对话框

第二步：设置文本导入对话框选项完成导入。

在"文本导入向导-第 1 步"中，选择通过"分隔符号"划分数据列。导入起始行为"1"，为了规范操作，建议勾选"数据包含标题"，然后选择"下一步"，如图 5.112 所示。

进入"文本导入向导-第 2 步"，选择"分隔符号"为"Tab 键"。在下方数据预览中可以看到分隔后的数据状态，如图 5.113 所示。

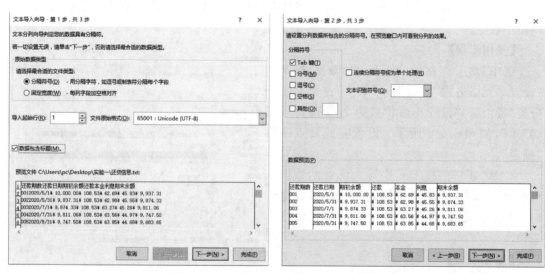

图 5.112　文本导入向导- 1　　　　　　**图 5.113　文本导入向导- 2**

进入"文本导入向导第 3 步"，选择第一个数据列，然后勾选上方的"文本"，如图 5.114

所示。

完成导入向导后,在"导入数据"对话框中检查数据的放置位置,如果和所需位置不同,如图 5.115 所示,则需要进行修改。完成后点击"确定"。

图 5.114 文本导入向导- 3　　　　　图 5.115　导入数据对话框

完成后,表区域将出现如图 5.116 所示状态。

	A	B	C	D	E	F	G
1	还款期数	还款日期	期初余额	还款	本金	利息	期末余额
2	001	2020/5/1	¥10,000.00	¥108.53	¥62.69	¥45.83	¥9,937.31
3	002	2020/5/31	¥9,937.31	¥108.53	¥62.98	¥45.55	¥9,874.33
4	003	2020/7/1	¥9,874.33	¥108.53	¥63.27	¥45.26	¥9,811.06
5	004	2020/7/31	¥9,811.06	¥108.53	¥63.56	¥44.97	¥9,747.50
6	005	2020/8/31	¥9,747.50	¥108.53	¥63.85	¥44.68	¥9,683.65
7	006	2020/10/1	¥9,683.65	¥108.53	¥64.14	¥44.38	¥9,619.51
8	007	2020/10/31	¥9,619.51	¥108.53	¥64.44	¥44.09	¥9,555.07
9	008	2020/12/1	¥9,555.07	¥108.53	¥64.73	¥43.79	¥9,490.34
10	009	2020/12/31	¥9,490.34	¥108.53	¥65.03	¥43.50	¥9,425.31
11	010	2021/1/31	¥9,425.31	¥108.53	¥65.33	¥43.20	¥9,359.98
12	011	2021/3/3	¥9,359.98	¥108.53	¥65.63	¥42.90	¥9,294.35
13	012	2021/3/31	¥9,294.35	¥108.53	¥65.93	¥42.60	¥9,228.43
14	013	2021/5/1	¥9,228.43	¥108.53	¥66.23	¥42.30	¥9,162.20
15	014	2021/5/31	¥9,162.20	¥108.53	¥66.53	¥41.99	¥9,095.67
16	015	2021/7/1	¥9,095.67	¥108.53	¥66.84	¥41.69	¥9,028.83
17	016	2021/7/31	¥9,028.83	¥108.53	¥67.14	¥41.38	¥8,961.68
18	017	2021/8/31	¥8,961.68	¥108.53	¥67.45	¥41.07	¥8,894.23
19	018	2021/10/1	¥8,894.23	¥108.53	¥67.76	¥40.77	¥8,826.47
20	019	2021/10/31	¥8,826.47	¥108.53	¥68.07	¥40.45	¥8,758.40
21	020	2021/12/1	¥8,758.40	¥108.53	¥68.38	¥40.14	¥8,690.01
22	021	2021/12/31	¥8,690.01	¥108.53	¥68.70	¥39.83	¥8,621.32
23	022	2022/1/31	¥8,621.32	¥108.53	¥69.01	¥39.51	¥8,552.31
24	023	2022/3/3	¥8,552.31	¥108.53	¥69.33	¥39.20	¥8,482.98
25	024	2022/3/31	¥8,482.98	¥108.53	¥69.65	¥38.88	¥8,413.33
26	025	2022/5/1	¥8,413.33	¥108.53	¥69.97	¥38.56	¥8,343.37
27	026	2022/5/31	¥8,343.37	¥108.53	¥70.29	¥38.24	¥8,273.08
28	027	2022/7/1	¥8,273.08	¥108.53	¥70.61	¥37.92	¥8,202.47
29	028	2022/7/31	¥8,202.47	¥108.53	¥70.93	¥37.59	¥8,131.54
30	029	2022/8/31	¥8,131.54	¥108.53	¥71.26	¥37.27	¥8,060.28
31	030	2022/10/1	¥8,060.28	¥108.53	¥71.58	¥36.94	¥7,988.70
32	031	2022/10/31	¥7,988.70	¥108.53	¥71.91	¥36.61	¥7,916.79
33	032	2022/12/1	¥7,916.79	¥108.53	¥72.24	¥36.29	¥7,844.55

图 5.116　还贷信息导入后状态

5. 为了便于查看,将"十年还贷计划"工作表中的首行进行冻结。

【操作步骤】

选择【视图】选项卡→"冻结窗格"命令,选择下拉菜单中的"冻结首行"。

图 5.117　冻结首行命令

6. 将"十年还贷计划"工作表保护起来,无密码。要求仅允许修改"还款期数"和"还款日期"两列数据,其余所有数据(包括列标题)均不可编辑。

【操作步骤】

第一步:设置单元格保护锁定属性。

将"还款期数"和"还款日期"的数据区域 A2:B121 选中,进入"设置单元格格式"对话框→"保护"选项卡,取消"锁定"的勾选,如图 5.118 所示,然后点击"确定"。

图 5.118　取消数据锁定

图 5.119　保护工作表命令

第二步:设置工作表保护。

单击【审阅】选项卡→【更改】功能组→"保护工作表"命令,如图 5.119 所示,在弹出对话框中,仅勾选"允许此工作表的所有用户进行:"选项列表的前两项,如图 5.120 所示。

图 5.120 保护工作表对话框

7. 设置页边距上下左右均为 2 厘米,令数据内容在页面内水平和垂直居中。

【操作步骤】

单击【页面布局】选项卡→【页面设置】功能组→右下角箭头展开对话框命令,进入"页面设置"对话框→"页边距"选项卡。

设置相应的页边距距离,在下方"居中"设定中将"水平"与"垂直"选项同时勾选,如图 5.121 所示。点击"确定"完成。

图 5.121 页边距设置与居中方式

8. 设置打印时的奇数页页眉内容为"第 x 页,每月还贷支出",偶数页页眉内容为"第 x 页,共 y 页",页眉均居中显示。

【操作步骤】

第一步:打开页眉对话框,设置自定义页眉。

参照上题,进入"页面设置"对话框→"页眉/页脚"选项卡,勾选下方的"奇偶页不同"选项,单击"自定义页眉",如图 5.122 所示。

图 5.122 页面设置-页眉页脚

第二步:编辑奇数页页眉。

弹出"页眉"对话框,在"奇数页页眉"的中部编辑区域,输入文本"第页,每月还贷支出",并将光标移至文本"第"之后,用鼠标左键点击上方的"插入页码"图标 📄 。对话框内容如图 5.123 所示。

图 5.123 奇数页页眉设置

图 5.124 偶数页页眉设置

第三步：编辑偶数页页眉。

继续切换到"偶数页页眉"，在中部编辑区域，输入文本"第页,共页"，并将光标先移至文本"第"之后，用鼠标左键点击上方的"插入页码"图标；然后再将光标移至文本"共"之后，用鼠标左键点击上方的"插入页数"图标 。对话框内容如图 5.124 所示，最后再点击"确定"完成。

9. 设置打印区域为 A1:G113，要求打印纸每页顶端均打印列标题。

【操作步骤】

方法一：

将 A1:G113 的区域选中后，单击【页面布局】选项卡→"页面设置"→"打印区域"下拉菜单→"设置打印区域"，如图 5.125 所示。

图 5.125 设置打印区域命令

点击"打印标题"命令，在顶端标题行的输入框中输入"＄1：＄1"（也可使用相对引用），如图 5.126 所示，点击"确定"。

方法二：

打开"页面设置"对话框切换到"工作表"选项卡，将光标置于打印区域输入框中，用鼠标将所需区域 A1:G113 选中；将光标置于"顶端标题行"输入框中，然后用鼠标单击表区域标题行，最后点击"确定"，如图 5.126 所示。

图 5.126 页面设置对话框-工作表选项卡

10. 通过打印预览查看效果,保存编辑好的文档。

【操作步骤】

方法一:打开"页面设置"对话框,在对话框内任一选项卡下方点击"打印预览",如图5.126所示。

方法二:切换至【文件】选项卡,在左方选项列表中点击"打印",如图 5.127 所示。

完成预览后,点击"保存"命令。

图 5.127　打印预览

综合练习

一、打开工作簿文件"学生成绩单.xlsx",根据下列要求对该成绩单进行整理和分析。

1. 利用条件格式功能将语文、数学、英语三科中不低于 110 分的成绩所在的单元格以一种浅蓝色填充,其他四科中高于 95 分的成绩以绿色填充。

2. 用 SUM 和 AVERAGE 函数计算每一个学生的总分及平均成绩,设置所有分数数据的显示保留两位小数。

3. 使用 LOOKUP 函数根据每个学生的"学号"信息计算出所在的"班级","学号"的 3、4 与班级的对应关系如下:

01　　1 班

02　　2 班

03　　3 班

4. 复制工作表"期末成绩"到原表所处位置的后面,改变该副本表标签的颜色为紫色,并重新命名"成绩分类汇总"。

5. 在"成绩分类汇总"工作表中通过分类汇总功能求出每个班各科的平均成绩,并将每组结果分页显示。

6. 在"成绩分类汇总"工作表中,根据每个班各科平均成绩,创建一个簇状柱形图,要求:水平轴标签为学科名称,数据系列为三个班每科的平均成绩,无图表标题,图例显示在顶部,并将该图表放置在一个名为"柱状分析图"新工作表中。

7. 保存编辑好的"学生成绩单.xlsx"工作簿文件。

二、打开"差旅费.xlsx"文件,完成下列操作并保存。

1. 根据"日期"列中的内容,使用 IF 函数在"是否加班"列的单元格中填入相应内容,如果是星期六或者星期日,则填入"是",否则填入"否"。

2. 使用公式统计每个活动地点所在的省份或直辖市,并将其填写在"地区"列对应的单元格中,例如"北京市""浙江省"。

3. 根据"费用类别编号",使用 VLOOKUP 函数,在"费用类别"中填入相应的类别信息。对照关系参考"费用类别"工作表。

4. 在"差旅成本分析报告"工作表 B3 单元格中,统计 2019 年第三季度发生在北京市的餐饮费用总金额。

5. 在"差旅成本分析报告"工作表 B4 单元格中,统计 2019 年员工刘露露报销的燃油费用总额。

6. 在"差旅成本分析报告"工作表 B5 单元格中,统计 2019 年差旅费用中,火车票费用占所有报销费用的比例,并保留 2 位小数。

7. 在"差旅成本分析报告"工作表 B6 单元格中,统计 2019 年发生在周末(星期六和星期日)的通讯补助总金额。

8. 保存编辑好的"差旅费.xlsx"工作簿文件。

三、打开"销量全年统计表.xlsx"文件,完成下列操作并保存。

1. 将"Sheet1"工作表命名为"销售实况",将"Sheet2"命名为"均价"。

2. 在"销售实况"工作表中最左侧插入一个新列,A3 单元格中输入列标题为"序号",并以"001,002,003……"的内容进行填充。

3. 将工作表"销售实况"的标题在 A1:F1 区域内合并后居中,设置字体为微软雅黑,12 磅字号,红色加粗显示。设置表区域行高为自动调整,列宽为 12,水平居中对齐,并设置"销售额"的数值格式(保留 2 位小数),并为表区域(A1:F83)增加所有框线。

4. 工作表"均价"中的区域 B3：C7 定义名称为"商品均价"，并根据"销量"信息，结合 VLOOKUP 函数查找对应产品均价，计算工作表"销售实况"中的"销售额"。要求公式中引用所定义的名称"商品均价"。

5. 为"销售实况"工作表中的表区域创建一个数据透视表，放置在新工作表中，并重命名为"透视分析"，要求：能够根据商品名称进行报表筛选，调整透视表布局，令透视表 A 列显示为店铺，B～E 列显示为四个季度信息，F 列为销售额求和。

6. 在透视表下方创建一个簇状柱形图，图表中仅对各门店四个季度笔记本的销售额进行比较，无图表标题，图例显示在右侧。

7. 保存编辑好的"销量全年统计表.xlsx"工作簿文件。

四、打开"人口普查.xlsx"文件，完成下列操作并保存。

1. 对两张工作表（第五次普查数据、第六次普查数据）中的表区域（A1：C34）均设置粗外框线，内部细实线，并将所有人口数据的数字格式设为带千分位分隔符的整数，无小数位数。设置"第五次普查数据"标题行为橙色底纹填充，"第六次普查数据"标题行为浅绿色填充。

2. 将两个工作表内容整合成一张表，整合后的内容放置在新工作表"对比分析"中（自 A1 单元格开始，A1 单元格内容为"地区"），对合并后的工作表添加所有框线，并应用单元格样式为：20%-着色 4。以"地区"为关键字对工作表"对比分析"进行升序排列。

3. 在工作表"对比分析"表区域的最右侧依次增加"增长数（万人）"和"比重增幅"两列，使用公式计算这两列的值，其中：增长数（万人）＝2020 年人口数－2010 年人口数；比重增幅＝2020 年比重－2010 年比重。

4. 打开工作簿"统计指标.xlsx"，将工作表"统计数据"复制到正在编辑的文档"人口普查.xlsx"中，要求复制后的工作表位于"对比分析"的右侧，并修改工作表名为"统计分析"。完成后关闭"统计指标.xlsx"文件（提醒：受单元格样式影响，复制后的表区域颜色可能会发生变化）。

5. 在工作表"统计分析"中的相应单元格内，使用适合的函数计算统计结果。

6. 基于工作表"对比分析"创建一个数据透视表，将其单独存放在一个名为"透视表"的工作表中。"透视表"中要求筛选出 2020 年人口数超过 5 000 万的地区及其人口数、2020 年所占比重以及人口增长数，并按人口数从多到少排序（提示：行标签为"地区"，数值项依次为 2020 年人口数、2020 年比重、人口增长数）。

7. 保存编辑好的"人口普查.xlsx"工作簿文件。

五、打开"市场销售.xlsx"文件，完成下列操作并保存。

1. 按照下列要求对"第 2 周"工作表进行完善：

（1）将工作表中 C～F 四个销量列的空白单元格中输入数字 0。

（2）计算工作表中 4 个销售部的周销量合计值以及周销售总额，分别填入 G 列与 H 列。

（3）将工作表中的整个表区域（A1：H147）定义为与工作表相同的名称。

2. 将 4 个工作表中的数据以求和方式合并到新工作表"月销售合计"中，合并数据自工作表 A1 单元格开始填列。

3. 按照下列要求对新工作表"月销售合计"中的数据进行调整、完善：

（1）依据下表输入或修改列标题，并按"名称"升序排列数据区域。

单元格	列标题内容
A1	名称
B1	平均单价
H1	月销售额
G1	月销量

（2）将数据区域中月销量为零的菜品行删除。

（3）删除 B 列中的数据，根据合并后的月销量及月销售总额重新计算平均单价。

（4）在 A、B 两列之间插入一个空列，列标题输入"类别"。

（5）为整个表区域套用表格样式：绿色，表样式中等深浅 7，设置行高为 14，并自动调整列宽。

（6）冻结工作表的第 1 行，使页面移动时始终可见。

4. 新建一个工作表放置在最后，重命名为"品种目录"，工作表标签颜色设为黄色。

5. 将文本文件"蔬菜主要品种目录.txt"自 A1 单元格开始导入到工作表"品种目录"中，要求"编号"列保持原格式。

6. 根据工作表"品种目录"中的数据，在工作表"月销售合计"的 B 列中为每个菜品填入相应的"类别"，如果某一菜品不属于"品种目录"的任何一个类别，则填入文本"其他"。（本题有多种方法，提示：使用可以判断错误的函数或利用查找和选择功能）

7. 以"月销售合计"为数据源创建数据透视表，透视表放置于新工作表"数据透视"的 A3 单元格中，同时要求如下：

（1）透视表 A 列包含类别和菜品名称，每一个类别展开后可显示其中的菜品名称，B 列为月销售额数据，C 列为月销量数据。

（2）修改"行标签"名称为"类别"，修改字段"月销售额"为"月销售额（元）"，字段"月销量"改为"月销量（斤）"。

（3）按月销售额由高到低进行排序，仅"茄果类"展开。

（4）设置销售额和销量数据保留两位小数，设置透视表样式为：冰蓝，数据透视表样式中等深浅 23。

8. 保存编辑好的"市场销售.xlsx"工作簿文件。

六、打开"公务员考试.xlsx"文件，完成下列操作并保存。

1. 打开"行政区划代码对照表.xlsx"，按照下列要求对数据进行完善：

（1）将工作簿"行政区划代码对照表.xlsx"中的工作表"Sheet1"复制到工作簿"公务员考试.xlsx"中的工作表"名单"左侧，并将该工作表名称重命名为"行政区划代码"。

（2）设置工作表标签颜色设为标准紫色。

（3）以图片"map.jpg"作为该工作表的背景，并设置不显示网格线。

（4）将 B3:B38 区域内的数据，在原位置处拆分成代码和名称两列数据。

2. 按照下列要求，对工作表"名单"中的数据进行完善：

（1）在"序号"列中输入文本格式为"00001,00002,00003……"的顺序号。

（2）在"性别"列的空白单元格中输入"男"。

（3）在"性别"和"部门代码"之间插入一个空列，列标题为"地区"。准考证号自左向右数第 5、6 位为地区代码，依据工作表"行政区划代码"中的对应关系，在新增的"地区"列中输入各准考证号所属的地区名称。

(4) 在"部门代码"列中填入相应的部门代码，其对应准考证号的前 3 位。

(5) 将笔试分数、面试分数、总成绩 3 列设置 3 位小数格式，负数要求使用不带括号的红色字体。

(6) 各准考证号的第 4 位代表考试类别，按照下列计分规则计算每个人的总成绩：

准考证号的第 4 位	考试类别	计分方法
1	A 类	笔试、面试各占 50%
2	B 类	笔试 60%，面试 40%

3. 按照下列要求，对工作表"名单"中的数据进行格式设置：

(1) 修改 A1 单元格格式，字体为"微软雅黑"，字号为 14 磅，并设置在 A1:L1 内跨列居中。

(2) 正确的准考证号为 12 位文本，面试分数的范围为 0—100 之间整数（含本数），对这两列数据进行数据验证，当输入错误时给出提示信息"超出范围请重新输入！"，以标准深红色文本标出已存在的错误数据。

(3) 为整个表区域套用一个表格格式，并将其转换为普通区域。

(4) 锁定工作表的第 1～3 行，使之在滚动浏览时始终可见。

(5) 定义名称，分别以数据区域的首行作为各列的名称。

4. 以工作表"名单"为数据源，在工作表"统计分析"中按下列要求对各部门数据进行统计：

(1) 获取并填写不重复的部门代码及报考部门，并按部门代码的升序行排列。

(2) 将各项统计数据填入相应单元格。其中，统计男性人数和女性人数时应使用函数与定义的名称；笔试最低分数线需按部门统计。

(3) 设置第 G 列数字格式显示为百分数、且四舍五入精确到小数点后 3 位。

(4) 对整个工作表"统计分析"设置条件格式，当处于偶数行时，单元格以某一浅色填充并添加上下边框线。

5. 以工作表"统计分析"为数据源，参照考生文件夹下的图片"图表示例.png"生成图表，并按照如下要求设置图表格式：

(1) 图标标题与数据上方第 1 行中的标题内容一致，并可同步变化。

(2) 更改图表类型，要求女性和男性人数为堆积柱形图，女性比例为带标记的折线图。

(3) 适当改变图表样式；设置女性比例数据标记为内置"菱形"，紫色，大小为 5。

(4) 调整图例的位置为顶部。

(5) 设置主刻度边界最大值为 330，最小值为 0，大单位间隔为 30。

(6) 将图表移动到新图表工作表"分析图表"中。

【微信扫码】
参考答案 & 相关资源

第6章

PowerPoint 2016 高级应用

实验一 使用大纲创建和编辑演示文稿

一、任务目标

将 Word 文档制作为如图 6.1 所示的 PowerPoint 演示文稿。

图 6.1 实验一样张

二、相关知识

1. 幻灯片大纲。
2. 幻灯片母版。
3. 幻灯片分节。

221

三、任务实施

1. 使用幻灯片大纲批量创建幻灯片。

可在 Word 中创建和编辑好所有的幻灯片大纲，然后把此文档导入 PowerPoint 就可一次批量创建所有幻灯片。前提是，必须在 Word 中为各级内容设置好不同的标题样式，否则无法正确导入。具体来说，就是在 Word 中要把将来作为幻灯片标题的文本设置为"标题 1"样式、把将来作为幻灯片一级内容的文本设置为"标题 2"样式、把将来二级内容的文本设为"标题 3"样式……例如，如图 6.2 就是 Word 创建好的一个幻灯片大纲。

食物中的水为什么如此奇妙？
吃喝的科学

.内容提要

.食物中的"活"水

.食物中不同种类的水

· → 自由水是可以从食物中挤出的水，像橙子里榨出的橙汁、酸奶油或酸奶酪中析出的水。

· → 吸附水是指附着在多糖和蛋白质等分子表面的水。它没那么容易从食物中挤出来。当食品学家提到水合蛋白（如谷蛋白）或水合糖分子（如淀粉）时，通常指的就是吸附水。

· → 结合水则指固定在晶体中的水分子，如结晶淀粉或食物中的其他成分（有些食品学家习惯只区分自由水和结合水）。重点在于，自由水和吸附水有助于微生物的生长，而结合水则不行。

· 水活度

· → 食品学家用水活度（water-activity）来表示食物中自由水和吸附水的含量，这些"活"水对微生物生长、酶活性及化学反应很关键。水活度的数值在 0 到 1 之间，代表食物中能够转化成水蒸气的水分。

· → 水活度低于 0.85 的食物不容易长细菌，因为这种环境中细菌无法得到足够的水分。

· → 水活度低于 0.85 的酸性食物易于储藏，特别是存放在冰箱中——低 pH 值、低水活度和低温为抵抗有害病原体提供了三重保障。

· 食物含水量和水活度的关系

图 6.2 Word 文档

【操作步骤】

在 PowerPoint 中单击【开始】选项卡→【幻灯片】功能组→"新建幻灯片"按钮的向下箭头，单击下拉列表最下方的"幻灯片（从大纲）"按钮，如图 6.3 所示，在弹出的"插入大纲"对话框中选择编辑好大纲的 Word 文档"PPT 大纲.docx"（该 Word 文档如已在 Word 中打开，必须先将它关闭），单击"插入"按钮即可，如图 6.4 所示。再根据需要删除 PowerPoint 自动创建的第一张空白幻灯片，将其保存为"PPT.pptx"演示文稿。

图 **6.3** 新建幻灯片（从大纲）　　　　图 **6.4** 插入大纲

除了在 PowerPoint 中操作导入 Word 大纲外，还可以在 Word 中操作，将大纲发送到 PowerPoint。由于"将大纲发送到 PowerPoint"功能按钮在 Word 默认窗口布局中是隐藏的，因此需要先添加此按钮。

在 Word 中选择【文件】选项卡→"选项"命令→"Word 选项"对话框中，选择"快速访问工具栏"选项，在"从下列位置选择命令"列表框中选择"不在功能区中的命令"，找到"发送到 Microsoft PowerPoint"，如图 6.5 所示，将其"添加"到右侧列表框后单击"确定"按钮。

图 **6.5** 添加"发送到 Microsoft PowerPoint"命令

这时 Word 应用窗口的最上方快速访问工具栏中会增加如图 6.6 所示的"发送到 Microsoft PowerPoint"命令按钮。今后可用 Word 打开大纲文档，然后单击该按钮直接创建演示文稿。

图 6.6 "发送到 Microsoft PowerPoint"命令按钮

2. 使用幻灯片大纲视图调整幻灯片内容：将演示文稿"PPT.pptx"中第 5 张幻灯片中的后 2 段拆分为一张新幻灯片，标题不变。

利用幻灯片大纲视图可以快速创建幻灯片，并输入幻灯片的分级内容，这比在普通视图下右侧的编辑区录入内容要方便很多。如图 6.7 所示，单击"视图"选项卡→"演示文稿视图"功能组→"大纲视图"按钮切换到大纲视图，右侧为幻灯片编辑区。可在左侧大纲视图中直接输入或修改文字，右侧幻灯片上的内容会自动跟随变化。

图 6.7 大纲视图

在大纲视图中，要调整内容级别，可在每个段落中按 Tab 键将该段落提高一级（向右缩进），按 Shift＋Tab 组合键降低一级（向左缩进）。也可在"开始"选项卡→"段落"功能组中单击"降低列表级别"或"提高列表级别"按钮来调整级别。

【操作步骤】

选择第 5 张幻灯片，切换到大纲视图（如图 6.7），将光标定位在第一段落结尾后按下

Enter 键,产生一个空行,此时连续两次按 Shift＋Tab 组合键(或者在【开始】选项卡→【段落】功能组中单击"降低列表级别"两次),则原幻灯片从此处被拆分为两张,此空行变为新幻灯片标题级别。在大纲视图中新幻灯片输入与之前同样的标题"水活度"(如果要复制、粘贴第 5 张幻灯片的标题文字,必须在右侧的幻灯片编辑区中粘贴,不能在大纲中粘贴)。

类似地,也可以在大纲视图中通过"提高列表级别"的操作把多张幻灯片合并为一张。

3. 设置版式:将第 1 张幻灯片版式设置为"标题幻灯片",其他幻灯片均设置为"标题和内容"版式。

【操作步骤】

选中第 1 张幻灯片,单击【开始】选项卡→【幻灯片】功能组→"版式按钮的向下箭头,单击下拉列表中的"标题幻灯片"即可。

选中其余几张幻灯片,单击【开始】选项卡→【幻灯片】功能组→"版式"按钮的向下箭头,单击下拉列表中的"标题和内容"。

4. 应用主题:为幻灯片应用"绿色.thmx"的主题。

主题是美化演示文稿的简便方法,要应用主题,在"设计"选项卡→"主题"功能组中单击一种主题即可。若只希望将部分幻灯片应用主题,其他幻灯片不变,可先选择需要设置主题的一张或多张幻灯片,然后右击"主题"组中的某个主题图标,从快捷菜单中选择"应用于选定幻灯片"命令,如图 6.8 所示。

图 **6.8** 应用主题

如果希望应用位于另一个演示文稿文件中的主题,可在"主题"组中单击"其他"按钮后从展开的下拉列表中选择"浏览主题"命令。

【操作步骤】

在【设计】选项卡→【主题】功能组中单击"其他"按钮(如图 6.9 所示),从展开的下拉列表中选择"浏览主题"按钮(如图 6.10 所示),弹出"选择主题或主题文档"对话框,点击素材文件夹中的"绿色.thmx"文件,单击"应用"按钮(如图 6.11 所示)。

图 **6.9** 主题

图 6.10　浏览主题

图 6.11　选择主题或主题文档

5. 查找和替换：将幻灯片中所有"黑体"替换为"微软雅黑"。

PowerPoint 特有的替换字体功能，可将演示文稿中某种字体的所有文字一次性替换为另一种字体。

【操作步骤】

在【开始】选项卡→【编辑】功能组中单击"替换"按钮向下箭头,从下拉列表中选择"替换字体",弹出"替换字体"对话框,如图 6.12 所示,选择要替换的字体和替换为的字体,单击"确定"按钮即可。

6. 母版的应用。

图 6.12 替换字体

图 6.13 幻灯片母版视图

母版是一组设置,能够方便地全局批量修改幻灯片的字体、颜色、背景等。如在母版中添加了内容和图形,其余幻灯片也都将同时被添加,免去了逐一设置每张幻灯片的麻烦,更能统一幻灯片外观风格。

幻灯片母版视图中,左侧缩略图中的"大幻灯片"就是母版,如图 6.13 所示,它下面包含的多个"小幻灯片"是与此母版相关联的版式。它们都是幻灯片模型,基于此模型修改具体幻灯片。

7. 利用幻灯片母版统一设置标题占位符和内容占位符的文本格式。

【操作步骤】

单击【视图】选项卡→【母版视图】功能组→"幻灯片母版"按钮,如图 6.14 所示,打开幻灯片母版视图。

图 6.14 打开幻灯片母版

选择左侧导航窗格中最上方"大幻灯片"母版,选中标题占位符,单击【格式】选项卡→【排列】功能组→"对齐"按钮,将标题占位符设置为左对齐,如图 6.15 所示。

图 6.15　对齐方式

单击【幻灯片母版】选项卡→【背景】功能组→"字体"→"自定义字体",弹出"新建主题字体"对话框,将中文字体设置为"方正姚体",西文字体为"Arial",如图 6.16 所示。

图 6.16　新建主题字体

单击【格式】选项卡→【艺术字样式】功能组,选择"填充—白色,轮廓—着色 1,发光—着色 1"的艺术字样式,如图 6.17 所示。

图 6.17　艺术字样式

选中内容占位符第 1 级（最上层）项目符号列表，选择【开始】选项卡→【字体】功能组右下角"字体"按钮，将中文字体设置为"华文细黑"，西文字体为"Arial"，如图 6.18 所示。

图 6.18　设置内容占位符文本格式

选择【开始】选项卡→【段落】功能组→"项目符号"→"项目符号和编号"按钮，弹出："项目符号和编号"对话框，如图 6.19 所示。单击"图片"按钮→"插入图片"→"来自文件"，选择素材文件夹下的"水滴.jpg"，如图 6.20 所示。点击"插入"，将该级别的项目符号修改为"水滴.jpg"图片，如图 6.21 所示。

图 6.19 项目符号和编号

图 6.20 插入图片

图 6.21 母版格式

关闭母版视图，调整第 1 张幻灯片中的文本，将其分别置于标题和副标题占位符中，如图 6.22 所示。

图 6.22 第 1 张幻灯片

8.为演示文稿添加幻灯片编号,要求首页幻灯片不显示编号,第2～10张幻灯片编号依次为1～9,且编号显示在幻灯片底部正中。

【操作步骤】

打开幻灯片母版视图,选择"最大"母版,删除其中的页脚占位符文本框,选中页码占位符文本框对象,单击【绘图工具/格式】选项卡→【排列】功能组→"对齐"按钮,在下拉列表中选择"水平居中",将光标置于页码占位符文本框内,单击【开始】选项卡→【段落】功能组→"居中"按钮,设置页码居中显示,如图6.23所示,关闭母版视图。

图6.23 幻灯片母版页码格式

单击【插入】选项卡→【文本】功能组→"幻灯片编号"按钮,弹出"页眉和页脚"对话框,勾选"幻灯片编号"和"标题幻灯片中不显示"复选框,如图6.24所示,单击"全部应用"按钮。

图6.24 幻灯片编号设置

单击【设计】选项卡→【自定义】功能组→"幻灯片大小"按钮,弹出"幻灯片大小"对话框,将"幻灯片编号起始值"设置为"0",如图6.25所示,单击"确定"按钮。

图 6.25　幻灯片大小

9. SmartArt 图形：在第 2 张幻灯片中插入布局为"带形箭头"的 SmartArt 图形，将素材文件夹下的"意大利.jpg"设置为带形箭头形状的背景，将图片透明度调整为 15％，在左侧和右侧形状中分别填入第 3 张和第 8 张幻灯片中的文字内容，并使用适当的字体颜色。

【操作步骤】

在第 2 张幻灯片中选择"插入 SmartArt 图形"，如图 6.26 所示。

图 6.26　插入 SmartArt 图形

选择版式为"带形箭头"的 SmartArt 图形，如图 6.27 所示。

图 6.27　选择 SmartArt 图形

选中"带形箭头"形状,单击【格式】选项卡→【形状样式】功能组→"形状填充"→"纹理"→"其他纹理",如图 6.28 所示,右侧出现"设置图片形状"任务窗格。

图 6.28　设置纹理

选择"图片或纹理填充",单击"插入图片来自"→"文件"按钮(图 6.29),选择素材文件夹下的"意大利面.jpg",点击"插入",将其设置为带形箭头形状的背景,同时将图片透明度调整为 15%,如图 6.29 所示。

图 6.29　设置图片背景和透明度

分别复制第 3 张(编号为 2)和第 9 张(编号为 8)幻灯片标题中的文字内容,粘贴在第 2 张幻灯片左侧和右侧文本位置,并调整为适当的字体大小(如 48 号),如图 6.30 所示。

图 6.30　添加文本

10. 幻灯片版式:将第 3 张和第 9 张幻灯片的版式修改为"节标题",并将标题文本的填充颜色修改为绿色。

【操作步骤】

按下 Ctrl 键,在左侧大纲区同时选中第 3 张和第 9 张(编号为 2 和 8)幻灯片,单击【开始】选项卡→【幻灯片】功能组→"版式"→"节标题"按钮,将第 3 张和第 9 张幻灯片版式修改为"节标题"。

分别选中第 3 张和第 9 张幻灯片标题文本,单击【开始】选项卡→【字体】功能组→"字体颜色"→"标准色-绿色"按钮,将文本填充颜色修改为绿色,格式如图 6.31 所示。

图 6.31　设置文本颜色

11. 插入图片:将第 6 张和第 11 张幻灯片的版式修改为"两栏内容",并分别在右侧栏中插入素材文件夹下的图片"冰箱中的食品.jpg"和"揉面.jpg"。为图片"冰箱中的食品.jpg"应用"圆形对角,白色"的图片样式;为图片"揉面.jpg"应用"旋转,白色"的图片样式,并将图片的旋转角度调整为 6°。

【操作步骤】

与上一题类似,同时选中第 6 张和第 11 张幻灯片(编号为 5 和 10),单击【开始】选项卡→【幻灯片】功能组→"版式"→"两栏内容"按钮,将版式修改为"两栏内容",如图 6.32所示。

图 **6.32**　修改版式为"两栏文本"

分别在第 6 张和第 11 张幻灯片右侧栏中点击"图片"图标,如图 6.33 所示,插入图片"冰箱中的食品.jpg"和"揉面.jpg"。

图 **6.33**　插入图片

通过【格式】选项卡→【图片样式】功能组,为图片"冰箱中的食品.jpg"应用"圆形对角,白色"的图片样式,如图 6.34 所示。

图 6.34 设置图片样式

同样的方法，为图片"揉面.jpg"应用"旋转，白色"的图片样式，并通过【格式】选项卡→【排列】功能组→"旋转"→"其他旋转选项"（图 6.35a），将图片的旋转角度调整为 6°（图6.35b）。

图 6.35 图片的旋转

12. 创建图表：参考示例，在第 7 张幻灯片中创建一个散点图图表。

【操作步骤】

选中第 7 张幻灯片，单击【插入】选项卡→【插图】功能组→"图表"命令（或者直接选择"插入图表"快捷键，如图 6.36(a)所示），在弹出的"插入图表"对话框中选择"XY 散点图"→"散点图"，如图 6.36(b)所示，点击"确定"按钮。

（a）

（b）

图 6.36 插入图表

　　复制素材文件夹"PPT 大纲.docx"文件中的表格,将数据粘贴到"Microsoft PowerPoint 中的图表"中,如图 6.37 所示。

图 6.37　编辑图表数据

　　单击【图表工具/设计】选项卡→【数据】功能组→"选择数据"命令,如图 6.38 所示,弹出"选择数据源"对话框,如图 6.39 所示。

图 6.38　选择数据源-第 1 步

图 6.39　选择数据源-第 2 步

选择"含水量%"列和"水活度"列(即 B1:C6)作为数据源,如图 6.40 所示。

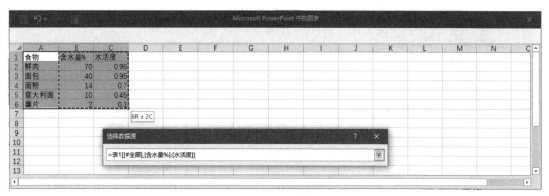

图 **6.40** 选择数据源-第 **3** 步

单击"确定"按钮后得到如图 6.41 所示图表。

图 **6.41** 散点图

通过【图表工具/设计】选项卡→【图表布局】功能组→"添加图表元素"(图 6.42(a)),或者使用图表区右上角的"图表元素"快捷按钮,进行图表各项参数的设置(图 6.42(b))。

（a）　　　　　　　　　　　　　　　（b）

图 6.42　图表元素

不显示图表标题和图例,横坐标轴标题为"含水量％",纵坐标轴标题为"水活度",并且设置纵坐标轴标题文字方向为"竖排",如图 6.43 所示。

图 6.43　坐标轴标题设置

选中图表中的不同对象,可以对其进行相应的格式设置。例如选中图表水平轴和垂直轴,可以设置刻度单位、刻度线、数据标记的类型和网格线等格式。

选中垂直坐标轴,设置其"边界/最大值"为"1.0",坐标轴"单位/主要"为"0.2",如图 6.44 所示。

图 6.44　坐标轴格式设置

设置每个数据点的数据标签:选中数据系统点,通过【图表工具/设计】选项卡→【图表布局】功能组→"添加图表元素"→"数据标签",如图 6.45 所示,设置"右侧"显示数据标签。

图 6.45　数据标签

单击"其他数据标签选项",在右侧展开的"设置数据标签格式"任务窗格中,选择"标签选项"→"单元格中的值",在弹出的"Microsoft PowerPoint 中的图表"中选择"食物"列数据(A2:A6),不勾选"Y 值"和"引导线",如图 6.46 所示。单击"确定"后,数据标签显示如图 6.47 所示的食物名称。

图 6.46　设置数据标签项

图 6.47　数据标签显示结果

13. 添加动画：为图表添加"淡出"的进入动画效果，要求坐标轴无动画效果，单击鼠标时各数据点从右向左依次出现。

【操作步骤】

选中图表区，单击【动画】选项卡→【动画】功能区→"淡出"按钮，在"效果选项"下拉列表中选择"按系列"，如图 6.48 所示。

图 6.48　动画效果选项

展开"动画窗格",单击"内容占位符：系列"右侧的下拉列表，选择"效果选项"，如图6.49所示。

图 6.49 为"系列"添加"效果选项"

在弹出的"淡出"对话框中，选择"图表动画"→"组合图表"→"按分类"，如图 6.50 所示。播放动画时，可以看到单击鼠标时各数据点从右向左依次出现。

图 6.50 按分类组合图表

14. 幻灯片分节:按表 6.1 所示要求为幻灯片分节。

表 6.1 分节要求

节名称	节包含的幻灯片
封面和目录	第 1 张和第 2 张幻灯片
食物中的"活水"	第 3～8 张幻灯片
氢键的魔力	第 9～11 张幻灯片

【操作步骤】

光标定位在需要分节的第 1 张幻灯片之前,点击【开始】选项卡→【幻灯片】功能组→"节"→ "新增节"(图 6.51(a)),在出现的"无标题节"上右击选择"重命名节",对话框中输入相应的节名称, 如图 6.51(b)所示。

（a） （b）

图 6.51 新增节

应用同样的方法依次完成对其他幻灯片的分节。

15. 幻灯片切换:设置所有幻灯片的自动换片时间为 10 秒;除第 1 张幻灯片无切换效果 外,其他幻灯片的切换方式均设置为自右侧推进效果。

【操作步骤】

点击【切换】选项卡→【计时】功能组→"换片方式"→"设置自动换片时间"为"00: 10.00";选择【切换到此幻灯片】功能组→"推进",单击"效果选项"→"自右侧",最后单击"应 用到全部"按钮(图 6.52),将切换效果应用到所有幻灯片。

选中第 1 张幻灯片,选择【切换到此幻灯片】功能组→"无",使其无切换效果。

图 6.52 幻灯片切换

16. 打印模式:设置演示文稿使用黑白模式打印时,第 6 张和第 11 张幻灯片中的图片不会被打印。

【操作步骤】

选择【视图】选项卡→【颜色/灰度】功能组→"黑白模式"(图 6.53),进入黑白模式视图。

图 6.53 打开黑白模式视图

分别选中第 6 张和第 11 张幻灯片中的图片,单击【黑白模式】选项卡→【更改所选对象】功能组→"不显示"按钮(图 6.54),使图片在黑白模式下不显示。

图 6.54 黑白模式设置

单击【开始】选项卡→"打印"命令,选择"纯黑白"(图 6.55),可以看到打印预览效果。

图 6.55 纯黑白打印

17. 打包演示文稿:做好的 PPT 有时需要在其他计算机上放映,此时将演示文稿打包,可以内嵌字体等素材,就不会发生在其他计算机上放映时因缺少字体而跳版等现象。

【操作步骤】

单击【文件】选项卡→"导出"选项命令→"将演示文稿打包成 CD"→"打包成 CD"按钮,如图 6.56 所示。

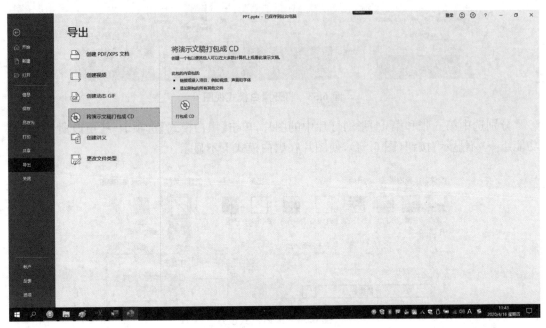

图 6.56　演示文稿打包成 CD

在打开的"打包成 CD"对话框中,选择要复制的文件,修改 CD 命名,如图 6.57 所示,单击"复制到文件夹"按钮。

图 6.57　"打包成 CD"对话框

在打开的"复制到文件夹"对话框中,输入文件夹名称,如图 6.58 所示,并设置保存位置,单击"确定"按钮。

图 6.58 "复制文件夹"对话框

弹出的对话框汇总提示是否一起打包链接文件,如图 6.59 所示,单击"是"按钮,系统开始自动打包演示文稿。完成后返回"打包成 CD"对话框。

图 6.59 打包过程选项

打包完成后系统会自动打开打包文件夹,最后保存文件。

实验二 制作相册

一、任务目标

将某摄影社团的部分优秀作品制作成如图 6.60 所示的相册进行展示。

图 6.60 实验二样张

二、相关知识

1. 相册的制作。

2. 合并演示文稿。

3. 插入媒体文件。

三、任务实施

1. 创建相册：新建一个包含 12 幅摄影作品的相册，在每张幻灯片中包含 4 张图片。

【操作步骤】

新建一个 PowerPoint 文件，单击【插入】选项卡→【图像】功能组→"相册"按钮，在弹出的"相册"对话框中，单击"插入图片来自"→"文件/磁盘"按钮，在弹出的"插入新图片"对话框中打开实验素材路径，借助 Shift 键选中 Photo(1).jpg～Photo(12).jpg 全部 12 幅图片。

设置"图片版式"为"4 张图片"，相框形状为"居中矩形阴影"，并通过"浏览"按钮设置主题为素材文件夹中的"相册主题.pptx"，如图 6.61 所示。

单击"创建"按钮，即看到如图 6.62 所示的初始相册。

图 6.61　插入相册图片

图 6.62　初始相册

给每张幻灯片设置不同的切换方式,然后将文件另存为"相册.pptx"。

2. 重用幻灯片:将"标题.pptx"和"相册.pptx"合并为新幻灯片。

将两个演示文稿合并到一个新的演示文稿中,并使所有幻灯片保留原主题格式。可以使用 PowerPoint 提供的"重用幻灯片"功能。

【操作步骤】

新建一个演示文稿,删除系统自动创建的第一张空白幻灯片。单击【开始】选项卡→【幻灯片】功能组→"新建幻灯片"→"重用幻灯片"命令(如图 6.63),出现"重用幻灯片"任务窗格。单击"浏览"→"浏览文件",在对话框中选择素材文件夹内的"标题.pptx"文件,在右侧打开的"重用幻灯片"对话框中,勾选"保留源格式",单击选择需要添加的第 1 张幻灯片。

图 **6.63**　重用幻灯片

类似地,再次单击"浏览"按钮,选择"相册.pptx"中后 3 张幻灯片,勾选"保留源格式",依次插入当前演示文稿,并将文件保存为"PPT.pptx"。

3. 文本直接转换为 SmartArt 图形。

将第 1 张幻灯片的"湖光春色""冰消雪融"和"田园风光"3 行文字转换为样式为"图片题注列表"的 SmartArt 对象,并将 Photo(1).jpg、Photo(6).jpg 和 Photo(9).jpg 定义为该 SmartArt 对象的显示图片。

【操作步骤】

选中文本内容,单击【开始】选项卡→【段落】功能组→"转换为 SmartArt"下拉列表→"其他 SmartArt 图形",在弹出的"选择 SmartArt 图形"对话框中选择"列表"→"图片题注列表",如图 6.64 所示。

然后在 3 个图片位置分别插入 Photo(1).jpg、Photo(6).jpg 和 Photo(9).jpg,如图 6.65 所示。

图 6.64　选择 SmartArt 图形

图 6.65　在 SmartArt 中插入图片

4. 为 SmartArt 对象添加自左至右的"擦除"进入动画效果,并要求在幻灯片放映时该 SmartArt 对象元素可以逐个显示。

【操作步骤】

选中 SmartArt 对象,单击【开始】选项卡→【高级动画】功能组→"添加动画"下拉列表→ "进入"→"擦除"动画效果。

单击"动画窗格"按钮,在"动画窗格"窗口中右击动画对象,在弹出的"擦除"对话框→ "效果"选项卡中设置方向"自左侧",在"SmartArt"选项卡→"组合图形"中选择"逐个",如图 6.66 所示。

（a）　　　　　　　　　　　　　　（b）

图 **6.66**　设置动画效果

5. 在 SmartArt 对象元素中添加幻灯片跳转链接，使得单击"湖光春色"标注形状可跳转至第 2 张幻灯片，单击"冰消雪融"标注形状可跳转至第 3 张幻灯片，单击"田园风光"标注形状可跳转至第 4 张幻灯片。

【操作步骤】

右击"湖光春色"标注形状，在快捷菜单中选择"超链接"，如图 6.67(a)所示。

在"插入超链接"对话框中选择"本文档中的位置"→"幻灯片 2"，如图 6.67(b)所示。同样的方法设置其余两个标注形状。

（a）　　　　　　　　　　　　　　（b）

图 **6.67**　设置超链接

6. 将"ELPHRG01.wav"声音文件作为相册的背景音乐，并在幻灯片放映时即开始播放。

【操作步骤】

选择第一张幻灯片，单击【插入】选项卡→【媒体】功能组→"音频"下拉列表→"文件中的音频"，在弹出"插入音频"对话框中选择素材文件夹下的"ELPHRG01.wav"文件，单击"插入"，可以看到幻灯片页面上出现"小喇叭"形状的音频图标。

选择音频图标，在"音频工具"→"播放"选项卡→"音频选项"功能组中选择"跨幻灯片播放""循环播放，直到停止"和"放映时隐藏"，如图 6.68 所示。

图 **6.68**　音频设置

7. 删除演示文稿所有备注内容。在普通视图的窗口下方备注窗格可查看和编辑简单的备注文字,而要编辑大量的备注内容,或者要在备注中插入图片、形状等对象,则要切换到备注页视图。因此,一张幻灯片中是否存在备注,在普通视图底部的备注窗格中并不易直观察觉。如要批量处理所有幻灯片的备注文字,可通过文档检查功能快速完成。

【操作步骤】

单击【文件】选项卡→"信息"命令,在右侧窗格中单击"检查问题"按钮,从下拉菜单中单击"检查文档"命令,如图 6.69(a)所示。在弹出的"文档检查器"对话框(图 6.69(b))中选中"演示文稿备注"。

(a)检查文档   (b)文档检查器

图 6.69 检查文档

单击"检查"按钮,得到如图 6.70 所示的检查结果;单击"演示文稿备注"中的"全部删除"按钮,删除演示文稿中的所有备注内容,然后"关闭"。

图 6.70 检查结果

8. 保存文件(操作略)。

综合练习

一、打开"PPT 练习 1 素材.pptx"文件,完成下列操作并保存。

图 6.71　PPT 练习 1 样张

　　1. 将"PPT 练习 1 素材.pptx"文件另存为"PPT 练习 1.pptx"("`.pptx`"为扩展名),之后所有的操作均基于此文件。

　　2. 为整个演示文稿应用素材文件夹下的设计主题"龙腾";将所有幻灯片右上角的龙形图片统一替换为 Logo.jpg,将其水平翻转、设置图片底色透明,并对齐至幻灯片的底部及右侧;并为所有幻灯片应用新背景图形"Background.png"。

　　3. 隐藏第 1 张标题幻灯片的背景图形,并将图片替换为"颐和园.jpg",应用边缘柔化 25 磅的"柔化边缘椭圆"样式;并为图片"颐和园.jpg"及标题设定动画效果:"单击后图片以翻转式由远及近方式进入",图片进入后 2 秒,标题和副标题同时以"浮入"方式进入。

　　4. 将第 2 张幻灯片的文本内容分为三栏、在文本框的垂直方向上中部对齐。取消第一级文本数字序号前的项目符号,并将第一级文本分别链接到对应标题的首张幻灯片。

　　5. 将第 3 张幻灯片自每个第一级文本处拆分为 4 张,标题均为"建制沿革"。

　　6. 将第 6 张幻灯片中的文本内容转换为"线型列表"布局的 SmartArt 图形,适当更改其颜色、样式以及字体的大小和颜色。

7. 为 SmartArt 图形添加动画效果,令 SmartArt 图形中的文字部分逐个按分支自左下方飞入,但其背景线条不设动画。

8. 将第 7 张幻灯片中的文本内容转换为"梯形列表"布局的 SmartArt 图形,更改其颜色、应用一个三维样式,将图形中所有文本字体更改为"幼圆"、黑色。

9. 为第 8 张幻灯片中的图片应用"纹理化"艺术效果。

10. 将图片"十七孔桥.jpg"以 75% 的透明度作为第 12 张幻灯片的背景格式。

11. 利用 8 幅图片素材文件生成有关西堤风景的相册,要求每张幻灯片包含四张图片,每张图片的下方显示与图片文件名相同的说明文字,相框形状采用"柔化边缘矩形"。

12. 将相册中包含图片的两张幻灯片插入到演示文稿 PPT 练习 1.pptx 的第 13 张和第 14 张幻灯片之间,为这两张新插入的幻灯片应用与其他幻灯片相同的设计主题,并分别输入标题"西堤美景"。

13. 将第 23 张幻灯片中的文字"截至 2005 年,....出版图书《颐和园建筑彩画艺术》。"移至备注中。为其中的表格应用一个表格样式,并调整表格中的字体字号及颜色。

14. 将"公园管理"标题下的第 24、25 和 26 三张幻灯片合并为一张。删除标题为"颐和美图"的幻灯片。

15. 将"BackMusic.mid"声音文件作为该幻灯片的背景音乐,并在幻灯片放映时按照单击顺序跨幻灯片开始播放,放映时隐藏音频工具。

16. 保存"PPT 练习 1.pptx"文件。

二、根据企业培训素材 Word 文件,完成下列操作并保存。

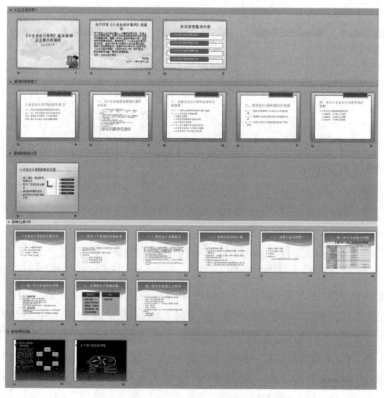

图 6.72　PPT 练习 2 样张

1. 新建一个名为"PPT 练习 2.pptx"的演示文稿,该演示文稿需要包含 Word 文档"《小企业会计准则》培训素材.docx"中的所有内容,每 1 张幻灯片对应 Word 文档中的 1 页,其中 Word 文档中应用了"标题 1""标题 2""标题 3"样式的文本内容分别对应演示文稿中的每页幻灯片的标题文字、第一级文本内容、第二级文本内容。

2. 将第 1 张幻灯片的版式设为"标题幻灯片",在该幻灯片的右下角插入任意一幅剪贴画,依次为标题、副标题和新插入的图片设置不同的动画效果,并且指定动画出现顺序为图片、标题、副标题。

3. 取消第 2 张幻灯片中文本内容前的项目符号,并将最后两行落款和日期右对齐。将第 3 张幻灯片中用绿色标出的文本内容转换为"垂直框列表"类的 SmartArt 图形,并分别将每个列表框链接到对应的幻灯片。将第 9 张幻灯片的版式设为"两栏内容",并在右侧的内容框中插入对应素材文档第 9 页中的图形。将第 14 张幻灯片最后一段文字向右缩进两个级别,并链接到文件"小企业准则适用行业范围.docx"。

4. 将第 15 张幻灯片自"(二)定性标准"开始拆分为标题同为"二、统一中小企业划分范畴"的两张幻灯片,并参考原素材文档中的第 15 页内容将前 1 张幻灯片中的红色文字转换为一个表格。

5. 将素材文档第 16 页中的图片插入到对应幻灯片中,并适当调整图片大小。将最后一张幻灯片的版式设为"标题和内容",将图片 pic1.gif 插入内容框中并适当调整其大小。将倒数第二张幻灯片的版式设为"内容与标题",参考素材文档第 18 页中的样例,在幻灯片右侧的内容框中插入 SmartArt 不定向循环图,并为其设置一个逐项出现的动画效果。

6. 将演示文稿按下列要求分为 5 节,并为每节应用不同的设计主题和幻灯片切换方式。

节名	包含的幻灯片
小企业准则简介	1—3
准则的颁布意义	4—8
准则的制定过程	9
准则的主要内容	10—18
准则的贯彻实施	19—20

7. 保存"PPT 练习 2.pptx"文件。

三、打开"PPT 练习 3 素材.pptx"文件,完成下列操作并保存。

图 6.73 PPT 练习 3 样张

1. 将"PPT 练习 3 素材.pptx"文件另存为"PPT 练习 3.pptx"(".pptx"为扩展名),之后所有的操作均基于此文件。

2. 为该演示文稿应用素材文件"文明古国.thmx",新建主题字体"文明",中文标题为隶书,中文正文为华文行楷。

3. 在第 2 张幻灯片中,点击对应的文明古国名称,从右侧飞入对应的国家图片(图片顺序从左上角开始顺时针方向为古埃及,古印度,中国和古巴比伦)。

4. 为第 3 张幻灯片中的 7 个形状创建超链接,要求链接到相应幻灯片;为"更多……"文本创建超链接到素材文件"朝代简表.docx"。

5. 参考样张,新增一个名为"两栏文字"的版式(添加至幻灯片母版最后),插入两个"文本"占位符,上下排列;将该版式应用于第 10 张幻灯片。

6. 清除所有幻灯片中的计时,设置放映方式为"观众自行浏览(窗口)"。

7. 保存"PPT 练习 3.pptx"文件。

四、根据某文旅宣传 Word 文档,完成下列操作并保存。

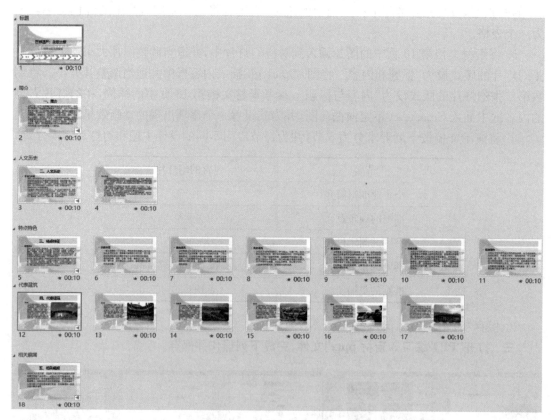

图 6.74　PPT 练习 4 样张

1. 新建一个名为"PPT 练习 4.pptx"的演示文稿,该演示文稿需要包含"永定土楼.docx"文档中的内容,之后所有的操作均基于此文件。

2. 将"土楼主题.thmx"主题应用到本演示文稿,并设置演示文稿中的幻灯片大小为 16∶9。

3. 依据幻灯片顺序,将演示文稿分为 6 节,每节各包含一张幻灯片;节名分别为"标题""简介""人文历史""特点特色""代表建筑"和"相关趣闻"。

4. 依据幻灯片文本内容占位符中的一级标题,将"人文历史"节中的幻灯片拆分成 2 张幻灯片,将"特点特色"节中的幻灯片拆分成 7 张幻灯片,将"代表建筑"节中的幻灯片拆分成 6 张幻灯片。

5. 将"代表建筑"节中的所有幻灯片版式设置为"两栏内容",分别在该节每张幻灯片右侧的内容占位符中添加对应代表建筑的图片,图片以对应名称位于素材文件夹下。设置这些图片与左侧文本框大小相近(高 7 厘米、宽 11 厘米),图片样式均为"映像圆角矩形"。

6. 将第一张幻灯片的版式设置为标题幻灯片。在该幻灯片副标题的正下方添加一个"基本 V 型流程"SmartArt 图形,图形文本顺序为"简介""人文历史""特点特色""代表建筑"和"相关趣闻";将每个图形形状分别链接到对应节的第一张幻灯片。

7. 除"标题"节外,在其他各节第一张幻灯片的右下角添加返回第一张幻灯片的动作按钮,并确保将来任意调整幻灯片顺序后,依然可以在放映时单击该按钮即可返回到演示文稿首张幻灯片。

8. 分别为每节幻灯片设置不同的切换效果,其分别为:切出、覆盖、溶解、翻转、传送带和飞过。

9. 为"代表建筑"节每张幻灯片中的图片设置动画效果分别为:淡出、飞入、下浮、随机线条、形状:圆和弹跳,使得该幻灯片换片完成后图片自动进入。

10. 设置幻灯片为循环放映方式,如果不单击鼠标,每隔 10 秒钟自动切换至下一张幻灯片。

11. 保存"PPT 练习 4.pptx"文件。

第7章

VBA 编程入门

VBA 是 Visual Basic Application 的缩写,是微软公司开发的附属在 Office 办公软件包中执行通用的自动化任务的编程语言,主要包括 Excel VBA、Word VBA，PowerPoint VBA、Access VBA 等几个组件类型。本章主要学习 Excel VBA 的基本应用。

实验一 录制宏程序

"宏"是能够执行的一系列 VBA 语句的指令集合,它可以使 Office 组件自动完成用户指定的各项动作组合,从而实现重复操作的自动化。也就是说,"宏"本身就是一种 VBA 应用程序,它是存储在 VBA 模块中的一系列命令和函数的集合。Excel 录制宏相当于录制一个运行脚本,也就是把操作的步骤使用代码的形式记录下来,以便下次使用。

一、实验目的

1. 掌握调出 VBA 开发工具的方法。
2. 掌握"录制宏"的方法。
3. 掌握"运行宏"的方法。
4. 掌握宏文档的保存类型。

二、实验内容与步骤

本实验首先调出 Excel 的"开发工具"选项卡,录制一个文本格式设置的宏,再运行该宏,自动完成其他文本格式的相同设置,最后保存宏文档。

1. 配置 VBA 开发环境

用户在安装 Office 组件的时候,如果使用的是默认的安装方式,在 VBA 的开发环境即

VBE 同时也安装好了。初始启动 Office 组件的时候,VBE 环境选项并没有出现在 Office 的菜单上,需要先进行基本的配置才可以使用。

【操作步骤】

启动 Excel,单击"开始"选项卡→"选项"命令,打开"Excel 选项"对话框,单击"自定义功能区"按钮,在"主选项卡"列表框勾选"开发工具"复选框,如图 7.1 所示,单击"确定"按钮。

图 7.1 Excel 选项-开发工具

回到 Excel 主界面,就可以看到"开发工具"选项卡出现在菜单栏,如图 7.2 所示。

图 7.2 "开发工具"菜单

2. 录 制 宏

利用 Excel 录制宏命令,可以将所做的操作都自动变成宏代码。此处录制一个简单的"设置文本格式"的宏。

【操作步骤】

在 Sheet1 的 A1 单元格中输入"我录制的第一个宏"。

选择【开发工具】选项卡→【代码】功能组→"录制宏"命令(图 7.3),在"录制宏"对话框输入宏名为"设置文本格式",设置快捷键为"Ctrl+p",如图 7.4 所示,单击"确定"按钮,开始录制宏。

图 7.3 "录制宏"命令

图 7.4 "录制宏"对话框

将 A1:E1 单元格"合并后居中",设置"我录制的第一个宏"字体为"华文新魏",字号设为"28",字体颜色设置为"蓝色",加粗、倾斜显示。

选择【开发工具】选项卡→【代码】功能组→"停止录制",结束宏录制。

3. 运行宏

【操作步骤】

在 Sheet2 的 A1 单元格输入"运行我的第一个宏"。

选择【开发工具】选项卡→【代码】功能组,单击"宏"按钮,打开"宏"对话框,如图 7.5 所示。

图 7.5 "宏"对话框

选择列表中的"设置文本格式"宏,单击"执行"按钮,观察 Sheet2 中相应文本的变化。在"宏"对话框中,还可以编辑、删除选中的宏。

在 Sheet3 的 A1 单元格中输入"宏的快捷操作",按下快捷键 Ctrl+p 后,观察相应文本的变化。

选择【开发工具】选项卡→【代码】功能组,单击"Visual Basic"按钮,即弹出 VBA 的开发环境 VBE。双击"工程资源管理器"窗口中的"模块 1",查看"设置文本格式"宏代码,如图7.6 所示。

图 7.6 "设置文本格式"宏代码

关闭 VBE 窗口,回到"开发工具"界面。

4. 保存宏文档

带有宏的工作簿需要保存为"Excel 启用宏的工作簿",该工作簿的扩展名为".xlsm"。

【操作步骤】

单击快速访问工具栏上的"保存"按钮,或者选择"文件"菜单下的"保存"命令,弹出"另存为"对话框。在该对话框中输入文件名为"设置文本格式",保存类型为"Excel 启用宏的工作簿",如图 7.7 所示。

图 7.7 保存宏文档

实验二　VBA 选择结构

在实际的程序编写过程中，往往需要对条件进行判断，根据判断的结果来控制程序的流程，此时就需要使用选择结构控制程序执行。选择结构也称为分支结构，可以是单分支、双分支或多分支结构，还可以进行分支的嵌套。

本实验利用不同的案例分别对 VBA 的各类分支结构语句进行学习。

一、实验目的

1. 掌握 If...Then 单分支语句的使用方法。
2. 掌握 If...Then...Else 双分支语句和 IIf 函数的使用方法。
3. 掌握 If...Then...ElseIf 和 Select Case 两种多分支语句的使用方法。

二、实验内容与步骤

1. If...Then 语句

If...Then 语句是单分支结构语句，其可以判断表达式的值，当表达式的值满足条件时执行其中包含的一组程序。

编写程序，对输入的产品价格进行限制，如果价格过低（如低于5）就给出提示。

【操作步骤】

启动 Excel，按下组合键 Alt+F11，打开 VBE 界面。单击【插入】选项卡→【控件】功能组→"模块"命令，创建"模块1"。此时，在工程资源管理器窗口中可以看到"模块1"。

在"模块1"的代码窗口中录入相应代码，如图 7.8 所示。

图 7.8　模块 1 代码

单击工具栏上的 ▶（运行子过程/用户窗体（F5））按钮弹出"宏"对话框，如图 7.9 所示。

选中"if 单分支示例1"宏，单击"运行"按钮，执行该宏。

执行过程中，弹出一个输入对话框要求输入产品价格，如图 7.10 所示。如果输入的数据小于程序中指定的数值，则程序给出提示，如图 7.11 所示。

图 7.9 "宏"对话框

图 7.10 输入框

图 7.11 执行结果

将工作簿保存为"单分支结构",保存类型为"Excel 启用宏的工作簿"。

注意：本例代码中使用 Dim 声明整型变量 a，使用 InputBox 函数，由用户输入数据，使用 If 语句来判断数据与设定数值的大小关系，此处设定数值是 5，如果小于 5，则使用 MsgBox 函数给出提示。

2. 双分支结构语句

双分支结构通常使用 If…Then…Else 语句，其根据条件满足或不满足来分别执行两种程序段。对于简单的条件判断，也可以用 IIf 函数实现。

编写程序，对成绩表单元格 B2 中的成绩进行判断，大于等于 60 分，评定等级为及格，否则评定等级为不及格，将评定的等级结果写入 C2 单元格。

（1）用 If…Then…Else 语句实现

【操作步骤】

启动 Excel，打开实验素材中的"成绩.xlsx"文件。按下组合键 Alt＋F11，打开 VBE 界面。

单击【插入】选项卡→【控件】功能组→"模块"命令，在"模块 1"的代码窗口中录入相应代码，如图 7.12 所示。代码中需要用到 Excel 对象，有关 Excel 常用对象说明见表 7-1。

表 7-1 Excel 常用对象

对象	说明
Cell(行号,列号)	指定单元格
Range(单元格或单元格区域)	指定单元格或单元格区域

续 表

对象	说明
ActiveCell	活动单元格
Sheets(工作表名)	指定工作表
ActiveSheet	活动工作表
Work Sheets	工作表集合
This Workbook	VBA 代码所在工作簿
Active Workbook	活动工作簿
Workbooks(工作簿名)	指定工作簿

```
(通用)                                        if双分支例1
Sub if双分支示例1()
    If Range("b2") >= 60 Then          '判断单元格中的分数是否大于60
        Range("C2").Value = "及格"      '大于或等于60，单元格显示及格
    Else
        Range("C2").Value = "不及格"     '不大于等于60，单元格显示不及格
    End If
End Sub
```

图 7.12　模块 1 代码

单击工具栏上的 ▶ (运行子过程/用户窗体(F5))按钮,执行该子过程。

单击工具栏上的 ⊠ 按钮,回到 Excel 界面查看运行结果,如图 7.13 所示。

	A	B	C
1	姓名	成绩	等级
2	张丽	75	及格

图 7.13　执行结果

将 B2 单元格中的成绩值改成"50",运行模块 1,查看运行结果。

(2) 用 IIf 函数实现程序功能

【操作步骤】

接上面的例子,首先,将 B2 单元格中的成绩值改成"90"。

单击【插入】选项卡→【控件】功能组→"模块"命令,创建"模块 2"。此时,在工程资源管理器窗口中可以看到模块 2。

在"模块 2"的代码窗口中录入相应代码,如图 7.14 所示。

```
(通用)                                        IIf函数示例1
Sub IIf函数示例1()
    Range("C2").Value = IIf(Range("b2") >= 60, "及格", "不及格")
End Sub
```

图 7.14　模块 2 代码

单击工具栏上的 ▶ (运行子过程/用户窗体(F5))按钮,执行该子过程。

单击工具栏上的 ✖ 按钮,回到 Excel 界面查看运行结果,如图 7.15 所示。

	A	B	C
1	姓名	成绩	等级
2	张丽	90	及格

图 7.15　模块 2 执行结果

	A	B	C
1	姓名	成绩	等级
2	张丽	40	不及格

图 7.16　模块 2 执行结果 2

将 B2 单元格中的成绩值改成"40",运行模块 2 代码,查看运行结果,如图 7.16 所示。

将工作簿另存为"双分支结构",保存类型为"Excel 启用宏的工作簿"。

3. 多分支结构语句

多分支结构语句可以有多个分支,用于对多个不同的条件进行判断,根据这些条件的不同值来执行不同的代码。VBA 支持 If…Then…ElseIf 和 Select Case 两种多分支结构语句。

编写程序,对成绩表单元格 B2 中的成绩进行分数等级评定,分数小于 60 评为不及格,分数大于等于 60 小于 70 评为及格,分数大于等于 70 小于 80 为中等,分数大于等于 80 小于 90 为良好,分数大于等于 90 为优秀。

(1) 用 If…Then…ElseIf 语句实现

【操作步骤】

启动 Excel,打开实验素材中的"成绩.xlsx"文件。按下组合键 Alt+F11,打开 VBE 界面。单击【插入】选项卡→【控件】功能组→"模块"命令,创建"模块 1"。在模块 1 的代码窗口中录入相应代码,如图 7.17 所示。

```
Sub if多分支示例1()
    If Range("B20") >= 90 Then          '判断分数是否大于等于90
        Range("C2").Value = "优秀"       '大于等于90,等级为优秀
    ElseIf Range("B2") >= 80 Then       '判断分数是否在80与90之间
        Range("C2").Value = "良好"       '等级为良好
    ElseIf Range("B2") >= 70 Then       '判断分数是否在70与80之间
        Range("C2").Value = "中等"       '等级为中等
    ElseIf Range("B2") >= 60 Then       '判断分数是否在60与70之间
        Range("C2").Value = "及格"       '等级为及格
    Else
        Range("C2").Value = "不及格"     '条件均不满足,等级为不及格
    End If
End Sub
```

图 7.17　模块 1 代码

单击工具栏上的 ▶ (运行子过程/用户窗体(F5))按钮,执行该子过程。

单击工具栏上的 ✖ 按钮,回到 Excel 界面查看运行结果。

改变 B2 单元格中的成绩值,运行模块 1,查看运行结果。

（2）用 Select Case 语句实现程序功能

【操作步骤】

接上面的例子,单击【插入】选项卡→【控件】功能组→"模块"命令,创建"模块 2"。在模块 2 的代码窗口中录入相应代码,如图 7.18 所示。

```
Sub Select多分支示例1()
    Dim cj As Integer
    cj = Range("B2").Value
    Select Case cj
    Case Is >= 90                          '判断分数是否大于等于90
        Range("C2").Value = "优秀"          '大于等于90,等级为优秀
    Case Is >= 80                          '判断分数是否在80与90之间
        Range("C2").Value = "良好"          '等级为良好
    Case Is >= 70                          '判断分数是否在70与80之间
        Range("C2").Value = "中等"          '等级为中等
    Case Is >= 60                          '判断分数是否在60与70之间
        Range("C2").Value = "及格"          '等级为及格
    Case Else
        Range("C2").Value = "不及格"        '条件均不满足,等级为不及格
    End Select
End Sub
```

图 7.18　模块 2 代码

单击工具栏上的 ▶ (运行子过程/用户窗体(F5))按钮,执行该子过程。

单击工具栏上的 ✕ 按钮,回到 Excel 界面,查看运行结果。

改变 B2 单元格中的成绩值,运行模块 2,查看运行结果。

将工作簿另保存为"多分支结构",保存类型为"Excel 启用宏的工作簿"。

注意:Select Case 中的测试表达式不能包含多个条件,这是与 If 语句不同的地方。因此,只有当各分支条件表达式都相同的情况下才能使用 Select Case 语句。

实验三　VBA 循环结构

在程序设计过程中,往往会碰到需要按照一定的规律重复执行的运算或操作。循环结构就是用来实现某段程序的反复执行的,这种用来实现程序循环执行的语句称为循环语句,其中被重复执行的语句称为循环体。

本实验利用不同的循环结构语句实现求一组数中的最大值和最小值。

一、实验目的

1. 掌握 For 循环语句的使用方法。

2. 掌握 While 循环语句的使用方法。

二、实验内容与步骤

编写程序，找出如图 7.19 所示工资表中的最高工资和最低工资，最高工资用红色、加粗显示，最低工资用绿色、倾斜显示。

	A	B
1	姓名	工资
2	包宏伟	40600
3	陈万地	3500
4	张惠	12450
5	闫朝霞	6050
6	吉祥	6150
7	李燕	6350
8	李娜娜	10550
9	刘康锋	15550
10	刘鹏举	4100
11	倪冬声	5800
12	齐飞扬	5050
13	苏解放	3000
14	孙玉敏	12450
15	王清华	4850
16	谢如康	9800
17		

图 7.19 工资表数据

1. For 循环的实现

【操作步骤】

启动 Excel，打开实验素材中的"工资.xlsx"文件。按下组合键 Alt+F11，打开 VBE 界面。单击【插入】选项卡→【控件】功能组→"模块"命令，创建"模块 1"。在模块 1 的代码窗口录入求解最高工资和最低工资的子过程代码，如图 7.20 所示。

```
Sub for循环求最高工资()
    Dim max As Long          'max是长整型变量，用于存放最大值
    Dim i As Integer, j As Integer   'j存放最大值的行号
    max = Cells(2, 2)        '等同于max=range("B2").value
    j = 2
    For i = 3 To 16
        If Cells(i, 2) > max Then
            max = Cells(i, 2)
            j = i
        End If
    Next
    Cells(j, 2).Font.Color = RGB(255, 0, 0)  '字体红色
    Cells(j, 2).Font.Bold = True             '字体加粗
End Sub

Sub for循环求最低工资()
    Dim min As Long          'min用于存放最小值
    Dim i As Integer, j As Integer   'j存放最小值的行号
    min = Cells(2, 2)        '等同于min=range("B2").value
    j = 2
    For i = 3 To 16
        If Cells(i, 2) < min Then
            min = Cells(i, 2)
            j = i
        End If
    Next
    Cells(j, 2).Font.Color = RGB(0, 255, 0)  '字体绿色
    Cells(j, 2).Font.Italic = True           '字体倾斜
End Sub
```

图 7.20 For 循环代码

将光标定位到"for 循环求最高工资"的子过程体内,单击工具栏上的 ▶ (运行子过程/用户窗体(F5))按钮,执行该子过程;同理,再将光标定位到"for 循环求最低工资"的子过程体内,单击工具栏上的 ▶ (运行子过程/用户窗体(F5))按钮,执行该子过程。

单击工具栏上的 按钮,回到 Excel 界面查看运行结果,如图 7.21 所示。

	A	B
1	**姓名**	**工资**
2	包宏伟	**40600**
3	陈万地	3500
4	张惠	12450
5	闫朝霞	6050
6	吉祥	6150
7	李燕	6350
8	李娜娜	10550
9	刘康锋	15550
10	刘鹏举	4100
11	倪冬声	5800
12	齐飞扬	5050
13	苏解放	*3000*
14	孙玉敏	12450
15	王清华	4850
16	谢如康	9800

图 7.21 执行结果

2. While 循环的实现

【操作步骤】

接上面的例子,单击【插入】选项卡→【控件】功能组→"模块"命令,创建"模块 2"。在模块 2 的代码窗口中录入相应代码,如图 7.22 所示。

```
Sub while循环求最高工资()
    Dim max As Long          'max是长整型变量,用于存放最大值
    Dim i As Integer, j As Integer  'j存放最大值的行号
    max = Cells(2, 2)        '等同于max=range("B2").value
    j = 2
    i = 3
    While i <= 16
        If Cells(i, 2) > max Then
            max = Cells(i, 2)
            j = i
        End If
        i = i + 1
    Wend
    Cells(j, 2).Font.Color = RGB(255, 0, 0)  '字体红色
    Cells(j, 2).Font.Bold = True             '字体加粗
End Sub
Sub while循环求最低工资()
    Dim min As Long          'min用于存放最小值
    Dim i As Integer, j As Integer  'j存放最小值的行号
    min = Cells(2, 2)        '等同于min=range("B2").value
    j = 2
    i = 3
    While i <= 16
        If Cells(i, 2) < min Then
            min = Cells(i, 2)
            j = i
        End If
        i = i + 1
    Wend
    Cells(j, 2).Font.Color = RGB(0, 255, 0)  '字体绿色
    Cells(j, 2).Font.Italic = True           '字体倾斜
End Sub
```

图 7.22 While 循环代码

　　将光标定位到"while 循环求最高工资"的子过程体内,单击工具栏上的 ▶ (运行子过程/用户窗体(F5))按钮,执行该过程;同理,再将光标定位到"while 循环求最低工资"的子过程体内,单击工具栏上的 ▶ (运行子过程/用户窗体(F5))按钮,执行该子过程。

　　单击工具栏上的 按钮,回到 Excel 界面查看运行结果。结果与图 7.21 一致。

　　将工作簿另存为"循环结构",保存类型为"Excel 启用宏的工作簿"。

综合练习

　　1. 新建模块,创建一个名为"vbaLx1"的 Sub 子过程,通过输入框输入一个整数,利用多分支结构语句 If...Then...ElseIf 判断该数是整数、负数还是 0。

　　2. 改写第 1 题,利用 Select Case 语句实现相同功能。

　　3. 打开实验素材中的"vbaLx3.xlsx"文件,利用 For 循环语句,根据如图 7.23 设备表中的数据,将最大数用红色显示,最小数用绿色显示。

	A	B
1	**基层医疗卫生机构各类设备台数**	
2	**卫生机构类别**	**设备合计 (单位: 台)**
3	社区卫生服务中心	99392
4	社区卫生服务站	13815
5	街道卫生院	3111
6	乡镇卫生院	289181
7	综合门诊部	17150
8	中医门诊部	856
9	中西医结合门诊部	419
10	民族医门诊部	15
11	专科门诊部	11522

图 7.23　设备表

　　4. 改写第 3 题,利用 While 循环语句实现相同功能。

【微信扫码】
参考答案 & 相关资源

第8章

Python 程序应用

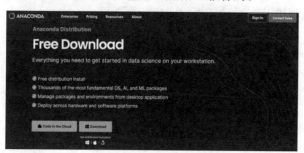

实验一　安装配置 Anaconda

一、实验目的

1. 下载安装 Anaconda。
2. 配置 Spyder。

二、实验内容与步骤

1. Anaconda 下载

Anaconda 是专注于数据分析的 Python 发行版本,包含了 conda、Python 等 190 多个科学三方库。打开浏览器输入下载地址 https://www.anaconda.com/download/,打开如图 8.1所示的下载界面,单击"Download"按钮下载对应安装程序。

注意:不同操作系统下载安装的安装包是不能相互兼容的。

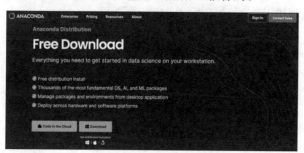

图 8.1　官网下载界面

2. Anaconda 安装

在浏览器的下载文件夹中找到对应的安装文件,路径和文件如图 8.2 所示。

图 8.2 安装路径和安装文件

双击安装文件等待运行窗口出现,点击"运行"打开安装界面,点击"Next>"进入用户许可证界面,点击"I Agree"进入如图 8.3 所示选择类型界面,选择"Just Me",点击"Next>"进入选择安装路径界面,点击"Next>"进入如图 8.4 所示选项界面,勾选"Add Anaconda to my PATH environment variable",点击"Install"完成安装(**注意**:勾选步骤及选项尤为重要不可或缺)。

图 8.3 选择类型界面

图 8.4 选项界面

3. Spyder 配置程序

点击任务栏上的窗口图标(操作系统开始菜单)→点击"所有应用"→"Anaconda3"→"Spyder"打开 Spyder 应用界面。

如图 8.5 所示,选择"Tools"菜单→"Preferences"选项,弹出如图 8.6 所示性能选项卡,左侧选择"IPython console"→右侧选择"Graphics"选项卡→选择第二栏"Graphics backend"→选择 Backend:"Automatic"。

图 8.5 **Spyder 菜单及工具栏**

图 8.6　性能选项卡

至此，Python 编程的实验准备工作全部完成。

实验二　绘制环状网格图

一、实验目的

1. 掌握 Spyder 基本框架。
2. 掌握绘图库 turtle 的基本功能和操作。
3. 掌握绘制基本图形的技巧。
4. 绘制 3D 网格环状顶视图。

二、实验内容

1. 实验准备

参考实验 1→Spyder 配置程序，打开 Spyder 应用界面。单击"File"选项卡→"Open..."命令，打开程序文件夹下的"三维环状.py"文件。3D 线框图可以用平面绘图的方式表示 3D 的效果，如图 8.7 所示。

图 8.7　3D 线框图

设置画布大小可以选择 800×600 像素（也可以根据自己屏幕大小微调），设置循环次数可以选择在 20 左右，速度选择 10，线框圆的半径 120 像素，全环 360 度，偏转 20 度，相位移动 50 像素，颜色可以根据各自喜好填写，源代码设置的是红色。

2. 程序分析

```
import turtle as tu   # 导入 turtle 包中的所有模块 并命名 turtle 模块名称为 tu
try:
    tu.home()# 初始化画笔位置
except:
    tu.home()# 初始化画笔位置
tu.setup(800,600,0,0)   # 此时 setup 函数前需要加 turtle
tu.speed(10)    # [0,10]设置画笔移动速度范围[0,10]整数，数字越大越快。
for x in range(20):
    # 绘画
    # tu.begin_fill()  # 填充开始标志,和结束标志成对出现
    # tu.color("red", "yellow") # 同时设置笔画颜色和填充颜色
    tu.pencolor('red')
    tu.circle(120,360)
    # tu.end_fill()# 填充结束标志
    # 转场
    tu.penup()# 抬起画笔 此时不画 只是移动坐标
    tu.left(20)   # 偏转角度
    tu.fd(50)     # 位移
    tu.pendown()# 画笔落下 开始画画
turtle.done   # 暂停程序,方便程序员观看调试
```

点击 Spyder 工具栏绿色三角形标志执行程序，如图 8.8 所示即为最后的成品图形。

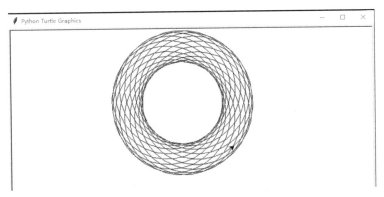

图 8.8 3d 环型顶视图

实验三　批量完成文件名修改

一、实验目的

1. 掌握文件操作基本原理。
2. 掌握 Python 编程基本规范。
3. 掌握控制程序和字符操作。
4. 理解和实践自动化思想。

二、实验内容

1. 实验准备

参考实验 1→Spyder 配置程序,打开 Spyder 应用界面。单击"File"选项卡→"Open..."
命令,打开程序文件夹下的"批量新建.py"文件。

2. 新建一个文件夹并在其中新建十个文本文件

点击 Spyder 工具栏绿色三角形标志执行程序,如图 8.9 所示。

名称	修改日期	类型	大小
data0.txt	2023/11/19 14:45	文本文档	1 KB
data1.txt	2023/11/19 14:45	文本文档	1 KB
data2.txt	2023/11/19 14:45	文本文档	1 KB
data3.txt	2023/11/19 14:45	文本文档	1 KB
data4.txt	2023/11/19 14:45	文本文档	1 KB
data5.txt	2023/11/19 14:45	文本文档	1 KB
data6.txt	2023/11/19 14:45	文本文档	1 KB
data7.txt	2023/11/19 14:45	文本文档	1 KB
data8.txt	2023/11/19 14:45	文本文档	1 KB
data9.txt	2023/11/19 14:45	文本文档	1 KB

图 8.9　批量生产文件

程序分析:

```
import os
path =  r"D:\testdata"        # 设置一个工作文件夹路径 关键字 r 代表这是一个路径
# 此处特别注意,第一次运行时要确保 D 盘下没有 testdata 这个文件夹,避免误操作
# 后期反复执行的时候注意不要改变路径导致文件混乱
if not os.path.exists(path):    #  如果工作文件夹不存在创建一个
    os.mkdir(path)             #  创建工作文件夹"D:\testdata"
os.chdir(path)                 #  修改当前工作目录为指定文件夹
for i in range(10):            #  准备创建十个文件
    f =  open("data{}.txt".format(i),'w')  #  创建.txt 后缀名的文件
```

```
        f.write("data{}".format(i))        # 写一些数据进去
        f.close()                          # 关闭文件   open- - close
```

3. 批量修改文件名

单击"File"选项卡→"Open…"命令,打开程序文件夹下的"批量改名.py"文件。

点击 Spyder 工具栏绿色三角形标志执行程序,如图 8.10 所示。

图 8.10　批量修改文件名

程序分析:

```
import os
path =   r"D:\testdata"                        # 设置一个工作文件夹路径
os.chdir(path)                                 # 指定工作文件夹
for file in os.listdir(path):                  # 对目录下的文件进行遍历
    if os.path.isfile(os.path.join(path,file))= = True:   # 判断是否是文件
        new_name= file.replace(file,"0830120"+ file[- 5:])   # 设置新文件名
#       new_name= file.replace(file,file[0:- 3])    # 恢复
        os.rename(os.path.join(path,file),os.path.join(path,new_name))  # 重命名
```

语法摘要:

os.listdir(path)用于返回一个由文件名和目录名组成的列表

os.path.isdir(path)入一个完整的文件路径,判断某一路径是否为目录

os.path.isfile(path)传入一个完整的文件路径,判断它是否是文件;

os.path.join(path1,path2)传入两个 path 路径,将该路径拼接起来,形成一个新的完整路径;

file.replace(file,newfile) # 替换文件名

os.rename(os.path.join(path,file),os.path.join(path,new_name))# 重命名

实验四　数据展示

一、实验目的

1. 掌握数据展示基本能力。

2. 掌握 Pycharts 库的基本用法。

3. 掌握数据导入的基本方法。

4. 实现渲染直方图和使用的方法。

二、实验内容

1. 实验准备

参考实验一的 Spyder 配置程序，打开 Spyder 应用界面。

单击"File"选项卡→"Open..."命令，打开程序文件夹下的"直方图.py"文件。

2. 程序实现新建一个渲染文件 mycharts.html

点击 Spyder 工具栏绿色三角形标志执行程序。

程序分析：

```
import pandas as pd
from pyecharts.charts import Bar
df = pd.read_csv('data.csv',encoding = "gb18030") # 导入数据
data = list(df['sell'])  # 获得 Y 轴数据
site = list(df['site'])  # 获得 X 轴数据
bar = Bar()
bar.add_yaxis("sales amount ",data)
bar.add_xaxis(site)
# render 会生成本地 HTML 文件,默认会在当前目录生成 render.html 文件
bar.render("mycharts.html")批量修改文件名
```

双击打开程序文件夹下 mycharts.html，如图 8.11 所示直方图。图片可以复制粘贴到需要的文件中去。

图 8.11　直方图

参考文献

［1］全国计算机等级考试一级计算机基础及 MS Office 应用考试大纲（2023 年版）［EB/OL］.https://ncre.neea.edu.cn/html1/report/2306/266‐1.htm.

［2］全国计算机等级考试二级 MS Office 高级应用与设计考试大纲（2023 年版）［EB/OL］.https://ncre.neea.edu.cn/html1/report/2306/266‐1.htm.

［3］教育部教育考试院.全国计算机等级考试一级教程 计算机基础及 MS Office 应用：2022 年版［M］.北京：高等教育出版社，2022.

［4］教育部教育考试院.全国计算机等级考试一级教程 计算机基础及 MS Office 应用上机指导：2022 年版［M］.北京：高等教育出版社，2022.

［5］教育部教育考试院.全国计算机等级考试二级教程 MS Office 高级应用与设计：2022 年版［M］.北京：高等教育出版社，2022.

［6］教育部教育考试院.全国计算机等级考试二级教程 MS Office 高级应用与设计上机指导：2022 年版［M］.北京：高等教育出版社，2022.

［7］未来教育.全国计算机等级考试 上机考试题库 一级计算机基础及 MS Office 应用［M］.成都：电子科技大学出版社，2022.

［8］未来教育.全国计算机等级考试 上机考试题库 二级 MS Office 高级应用［M］.成都：电子科技大学出版社，2022.

［9］翟双灿，金玉琴.新编大学计算机信息技术实践教程［M］.4 版.南京：南京大学出版社，2021.

［10］翟双灿，金玉琴.新编大学计算机信息技术实践教程［M］.3 版.南京：南京大学出版社，2019.

［11］翟双灿，印志鸿.新编大学计算机信息技术实践教程［M］.2 版.南京：南京大学出版社，2016.

［12］张宁.玩转 Office 轻松过二级［M］.3 版.北京：清华大学出版社，2019.

［13］嵩天.Python 语言程序设计基础［M］.2 版.北京：高等教育出版社，2018.